# MÉMOIRE
## À DEUX VOIX

# FRANÇOIS MITTERRAND

## MÉMOIRE
## À DEUX VOIX

## ELIE WIESEL

EDITIONS
ODILE JACOB

IL A ÉTÉ TIRÉ DE CET OUVRAGE SOIXANTE EXEMPLAIRES
SUR VÉLIN PUR CHIFFON DE RIVES ARJOMARI-PRIOUX
DONT TRENTE EXEMPLAIRES NUMÉROTÉS DE 1 À 30 ET
TRENTE EXEMPLAIRES, HORS COMMERCE, NUMÉROTÉS
DE I À XXX.

© ÉDITIONS ODILE JACOB, AVRIL 1995
15, RUE SOUFFLOT, 75005 PARIS
ISBN : 2-7381-0283-2

*Pour Lucia*

## AVANT-PROPOS

L'homme politique s'exprime d'abord par ses actes ; c'est d'eux dont il est comptable ; discours et écrits ne sont que pièces d'appui au service de son œuvre d'action.

Mais lorsque le mandat s'achève, que l'œuvre s'accomplit, et qu'avec l'âge l'horizon se rapproche, le besoin naît, souvent, de rassembler des pensées éparses et de confier à l'écriture le soin d'ordonner sa vie.

Arrivé là où je suis, j'éprouve, moi aussi, maintenant, la nécessité de dire, en quelques mots trop longtemps contenus, ce qui m'importe.

Tel est l'objet de ce livre.

C'est pourquoi j'ai entrepris avec Elie Wiesel ce travail de mémoire.

Odile Jacob m'a convaincu de le mettre en forme. Qu'elle en soit, ici, remerciée.

François MITTERRAND

I

ENFANCES

bruyante. Je pouvais, car j'en avais le goût, conquérir mes moments de solitude.

Jusqu'à quatorze ans, j'ai vécu mes vacances à la campagne, chez mes grands-parents, dans une maison située sur un coteau dominant un vaste paysage, à trois kilomètres du premier village. La maison se trouvait à soixante-dix kilomètres de Jarnac, juste à la jonction des deux départements de la Charente et de la Dordogne, qui sont séparés par une très jolie petite rivière, la Dronne. Là, j'ai accumulé des sensations au contact du vent, de l'air, de l'eau, des chemins, des animaux.

Ces expériences m'ont donné une sorte de philosophie. J'étais déjà capable de deviner que, dans le silex du chemin, il y avait une énergie cachée. J'avais une conscience profonde de la nature, une vraie relation avec elle. J'allais d'émerveillement en émerveillement.

Jamais je n'ai été froissé, ni brutalisé dans cette première saison de ma vie. Mon enfance fut épargnée par la guerre. En 1923, j'avais sept ans, je vivais plus d'espoir que de regret ou de douleur. Bref, danger majeur, j'aurais pu être angélique ! Mais à neuf ans, je suis entré au collège à Angoulême, ne revenant chez moi qu'une fois par trimestre. Levé à six heures, il fallait, l'hiver, vivre dans le froid. Tout m'intéressait au collège. J'avais, certes, la perception du déchirement, mais pas de problèmes d'existence. J'évoluais dans un monde inchangé.

ELIE WIESEL — Dans ma petite ville enfouie sous la neige, dans les Carpates, les enfants juifs se levaient tôt, très tôt, pour se rendre à l'école – le *heder* –, dire les prières du matin, étudier la Bible et ses commentaires. L'hiver, j'éclairais mon chemin avec une lampe à pétrole. Il faisait noir et j'avais peur. Le commencement de mon enfance, c'est un peu cela : la peur des voyous antisémites, des démons, de Dieu. Et vous, quand votre enfance a-t-elle commencé ?

FRANÇOIS MITTERRAND — Vers quatre ou cinq ans, lorsque j'ai ouvert les yeux sur les choses. Il n'y avait pas, entre elles et moi, l'écran que les gens, les préjugés, le temps ont mis plus tard. Je vivais dans l'immédiateté. Le monde naissait avec moi. J'avais la tête pleine de musique naturelle : le vent qui claque sec, la rivière. Chaque heure avait son odeur. J'avais une vie sensorielle.

La faculté d'imagination de l'enfant est considérable. Si, dans ma vie, j'ai eu quelques idées, elles n'ont pas été aussi fortes que celles que j'avais à quinze ans. À travers mon microcosme, je voyais l'univers. Sans connaître le monde, je le dominais. De cela j'ai tiré, sans savoir laquelle elle serait, une ambition de conquête dont le moyen n'était pas fixé dans mon esprit.

J'ai vécu beaucoup avec mes grands-parents maternels. Quant à mes parents, ils venaient me voir de temps à autre au collège et nous nous retrouvions pendant les vacances.

ELIE WIESEL — Aviez-vous le sentiment qu'ils vous négligeaient ? Qu'ils vous abandonnaient ?

FRANÇOIS MITTERRAND — Mais non ! Je voyais simplement qu'ils étaient occupés à travailler et à élever les autres enfants.

ELIE WIESEL — Mes parents aussi étaient constamment occupés. Ils travaillaient du matin au soir au magasin. Avant les fêtes, nous les enfants, nous devions les aider. En général, je voyais mon père surtout le jeudi. C'était le jour où je l'accompagnais à la synagogue. J'étais fier d'être son fils. En tant qu'intercesseur quasi officiel, il se voulait au service de la communauté. Il obtenait documents et autorisations pour les nécessiteux, il sortait les gens de prison. Mais le samedi il était à la maison. Donc, à moi. Je ne fus vraiment proche de lui, cependant, que plus tard, en camp de concentration. Enfant, je pensais être plus proche de mes amis. Et vous, des amis, en aviez-vous ? Moi, pour avoir des amis, j'essayais de les acheter avec des fruits et des friandises. J'avais besoin d'amis.

FRANÇOIS MITTERRAND — Je n'ai pas eu de camarades de mon âge, sauf au collège et je ne le regrette pas. J'avais peu de goût pour les enfants des amis de ma famille. Nous ne nous mélangions pas, n'avions que peu de contacts. Mes parents et grands-parents n'invitaient à déjeuner que le dimanche. Et puis j'étais timide. Jamais je n'aurais osé m'imposer. Au collège, en seconde je crois, un professeur me fit connaître la NRF. J'en discutais avec mon vieil ami, Claude Roy, de Jarnac comme moi et qui allait, lui, au lycée d'Angoulême. Que d'éveils, que de conversations ! Grâce à lui, j'entrai dans un monde paradisiaque où le style était roi. Il avait un esprit littéraire plus formé que le mien ; je continue de découvrir, aujourd'hui, dans ses livres, une musique qui n'appartient qu'à lui.

ELIE WIESEL — Aviez-vous l'intention d'être un grand écrivain ?

FRANÇOIS MITTERRAND — Si j'avais eu une ambition, elle aurait été celle-là. Mais je me voyais plutôt dans la peau d'un tribun de la Convention : j'écrivais les discours à leur place.

ELIE WIESEL — Enfant, vous n'aviez donc pas d'amis et vous voyiez peu vos parents. Alors, à qui confiiez-vous vos chagrins ?

15

FRANÇOIS MITTERRAND – À personne. Je marchais dans la campagne. Je montais au grenier de la maison. Je regardais les paysages. Je haranguais intérieurement un peuple invisible. Je m'en souviens très précisément. Le paysage autour de Touvent m'inspirait et, comme je lisais beaucoup à cette époque les orateurs de la Révolution, ceux de 1789 comme ceux de 1848, sans doute cela m'exaltait-il. De là, de ce grenier jonché de gousses de maïs, par la petite fenêtre qui donnait sur le jardin, je lançais des appels à l'Histoire dont je modifiais le cours selon mes préférences.

ELIE WIESEL – Je suis comme vous. Quand j'entends de la musique, j'aime bien diriger un orchestre invisible. Qu'est-ce qui vous faisait souffrir ?

FRANÇOIS MITTERRAND – L'injustice, la partialité. Je souffrais d'être incompris. J'étais susceptible, sensible aux critiques. Par exemple, j'étais distrait. Mais quand on me disait que j'étais « dans la lune », expression courante chez moi, je me fâchais. On vexait mon amour-propre. J'étais ambitieux aussi. Quand j'étais étudiant à Paris, je rêvais d'aventures. Je ne pensais pas à la politique, mais, d'une certaine manière, je me voyais en homme de pouvoir. Paradoxalement, j'étais aussi tenté par une vie discrète, consacrée à l'étude. Mes désirs s'entrecroisaient. J'aspirais à faire comme les

16

écrivains de l'époque. J'aimais la parole, le verbe, quel qu'en fût le mode d'expression. Pourtant, je n'étais pas bavard. On disait de moi que j'étais renfermé, que j'avais du mal à communiquer avec les autres. En fait, je n'ai jamais eu tendance à me confier. Si on ironisait sur ma façon d'être, cela me touchait. Une situation d'injustice, au collège, me bouleversait. J'avais l'imagination destructrice. Je suis peu rancunier, mais j'ai vécu des années avec cette brûlure.

ELIE WIESEL – Êtes-vous, aujourd'hui, toujours aussi refermé sur vous-même, aussi timide ?

FRANÇOIS MITTERRAND – Oui.

ELIE WIESEL – Voilà ce que les « grandes personnes » sont incapables de comprendre : que les enfants ont leur fierté, leur amour-propre. Avez-vous connu des moments de révolte ? Dans la vie de l'enfant, il y a toujours des révoltes : contre la mère, contre le père, contre les grands, contre l'adulte, contre l'inévitable...

FRANÇOIS MITTERRAND – Je n'ai jamais connu ça à ce point.

ELIE WIESEL – Jamais de révolte ?

FRANÇOIS MITTERRAND – Non. J'avais, comme je vous l'ai dit, des susceptibilités, mais c'étaient des révoltes en pointillé, des humeurs passagères.

ELIE WIESEL – Boudeur, parfois ?

FRANÇOIS MITTERRAND – Susceptible. Quand j'avais l'impression d'un mot de travers, d'un jugement trop rapide sur moi, je réagissais, je me refermais sur moi-même. Mais cela n'allait pas plus loin. Non, pas de révoltes. Je n'ai pas eu besoin de me révolter, du moins, à cette époque. Contre quoi ?

ELIE WIESEL – Parce que l'on vous disait d'aller vous coucher tôt, de ne pas lire ceci ou cela.

FRANÇOIS MITTERRAND – Non, vraiment. Il n'y avait pas de règlement à la maison. Personne ne venait nous surveiller. Nous avions une très grande liberté dans un environnement familial strict. Chaque dimanche, nous nous rendions à la messe. J'ai appris le latin avec le curé. À Touvent, après la messe, il y avait un déjeuner. Mais ces obligations prenaient peu de temps. Lors des repas, nous étions quinze ou seize, avec les parents, autour de la table. Il ne nous serait pas venu à l'idée de nous absenter à ce moment. Parfois l'un ou l'autre était en retard – mon père n'aimait pas ça : il ne disait rien, simplement son visage s'assombrissait. Et le soir, si nous voulions lire, jouer aux cartes ou au football miniature, écouter de la musique, personne ne nous disait : « Il faut aller se coucher. » Ma famille était de petite bourgeoisie, mais elle avait une certaine indépendance d'esprit. Je n'ai jamais eu à me dresser contre elle.

ELIE WIESEL – Étiez-vous un enfant espiègle ?

FRANÇOIS MITTERRAND – Non, pas du tout. J'étais un enfant très calme, très silencieux, plus moqueur qu'espiègle – d'autres diraient taquin. Mais d'une façon générale, non, je n'étais pas un enfant particulièrement rieur ou gai.

ELIE WIESEL – Rêveur ?

FRANÇOIS MITTERRAND – Oui. Dans une famille nombreuse, il faut se ménager des zones de solitude.

ELIE WIESEL – Et comment meubliez-vous ces zones de solitude ?

FRANÇOIS MITTERRAND – Par la lecture ou la contemplation des heures du jour et de la nuit. J'étais attentif à ce qu'apporte la lumière et à ce qu'elle retire. Elle suffit, la lumière, à elle seule, à donner au théâtre de l'enfance les aspects les plus différents. Rien que la marche des ombres sur un mur, c'est toute une histoire.

ELIE WIESEL – Écriviez-vous des poèmes à cette époque ?

FRANÇOIS MITTERRAND – Oui. Comme tout le monde.

ELIE WIESEL – Des poèmes d'amour ? De réflexion ?

FRANÇOIS MITTERRAND – La parole, le verbe, l'écriture, sous toutes leurs formes m'intéressaient. Mais j'étais sensible aux choses.

ELIE WIESEL – À la nature ?

FRANÇOIS MITTERRAND – Surtout à la nature. Les poèmes d'amour sont venus plus tard, vers dix-huit ans.

ELIE WIESEL – Pas avant ?

FRANÇOIS MITTERRAND – Non. Je m'essayais au contraire, avec beaucoup de vanité, à écrire des poèmes classiques sur des sujets que j'ignorais, inspirés par la lecture des grands écrivains du XVII$^e$ et du XIX$^e$ siècle.

ELIE WIESEL – Étiez-vous déjà adolescent ?

FRANÇOIS MITTERRAND – Plus enfant qu'adolescent. Les lieux, les paysages m'inspiraient surtout. J'avais un goût très prononcé pour les fleuves et les rivières. Et je m'étais dit que chaque fois que je rencontrerais un cours d'eau, je ferais un poème pour lui. Je n'ai pas tenu parole ! Au début, c'était modeste, cela concernait mon environnement immédiat : la Charente, la Seudre, la Gironde. Puis, avec ma connaissance du monde, cela s'est élargi au Rhin, au Rhône, à la Garonne, ensuite au Nil, au Niger... Il me reste quelques-uns de ces poèmes. Cela me distrait quelquefois de les relire.

ELIE WIESEL — Pourquoi les fleuves ? Pourquoi pas les nuages ?

FRANÇOIS MITTERRAND — Je ne sais pas.

ELIE WIESEL — Pourquoi pas le vent ?

FRANÇOIS MITTERRAND — Il faut croire que l'eau, ce mouvement qui traverse des continents et va finalement à la mer, représentait à la fois la fatalité et un ensemble d'évocations et de symboles qui m'émouvait, m'inspirait.

ELIE WIESEL — Un psychanalyste, bien sûr, y trouverait un sens !

FRANÇOIS MITTERRAND — Croyez-vous ? peut-être ! Mais je ne me suis jamais confié à un psychanalyste.

ELIE WIESEL — Moi non plus.

FRANÇOIS MITTERRAND — On n'a donc pas eu l'occasion de m'expliquer.

ELIE WIESEL — Revenons à votre famille. De qui vous sentiez-vous le plus proche autour de la table ?

FRANÇOIS MITTERRAND – Parmi mes frères et sœurs ?

ELIE WIESEL – Frères et sœurs, ou mère ou père.

FRANÇOIS MITTERRAND – Mère ou père ? Vraiment, je ne peux pas le dire. Nous formions un groupe humain solidaire, homogène. Et puis, je n'ai pas eu beaucoup d'occasions, à partir de neuf ans, neuf ans et demi, je vous l'ai dit, de vivre dans le giron familial. Jusqu'à dix-sept ans, j'ai été pensionnaire. Ma mère est morte quand j'avais dix-neuf ans. Comme mon père a vécu dix ans après la mort de ma mère, c'est lui sans doute que j'ai le plus connu. J'atteignais l'âge d'homme, je pouvais mieux le comprendre.

ELIE WIESEL – Les enfants ne savent pas désigner le jour où ils cessent d'être des enfants. Pouvez-vous me dire à quel moment on devient un adolescent ?

FRANÇOIS MITTERRAND – Cela dépend. Mais je dois dire qu'à quatorze ans, la vente de la propriété de mes grands-parents, l'expérience de la mort, l'entrée en seconde ont été pour moi une réelle secousse, marquant la fin de mon enfance. Mon milieu familial si uni, je croyais qu'il durerait toujours. Mais il s'est détruit très vite : en l'espace de six ans, j'ai perdu ma grand-mère, ma mère et mon grand-père. Jamais je n'ai renié mon enfance. À partir du moment où, à dix-sept ans, j'ai terminé mes études secondaires et où je suis devenu étudiant à Paris, une autre phase de ma vie commençait. Naturellement, je n'étais plus un enfant au sens propre du terme, j'ouvrais les yeux sur d'autres choses, je m'intéressais à des problèmes d'adultes, mes lectures changeaient.

ELIE WIESEL — Vous avez eu une enfance sans drame. Vous dites que vous étiez mûr à quinze ans. En général, on refuse de se détacher de l'enfance.

FRANÇOIS MITTERRAND — À la campagne, il y a des gestes immémoriaux, des rythmes immuables : les saisons, les semailles... Il est plus facile alors, pour un enfant, de mûrir. Le grand bouleversement fut la guerre : j'y ai fait l'apprentissage de la foule, de la masse, de la misère, de la saleté, de la violence.

ELIE WIESEL — Avez-vous eu le sentiment d'une rupture entre votre enfance et votre adolescence ?

FRANÇOIS MITTERRAND — Non, pas au-dedans de moi.

ELIE WIESEL — Il s'agissait donc d'une évolution normale ?

FRANÇOIS MITTERRAND — Je n'ai rompu avec rien mais un changement profond est intervenu quand je suis passé de mon collège d'Angoulême à la vie d'étudiant en droit et en sciences politiques à Paris. En entrant dans ma petite chambre laide, étroite, je n'ai pas pensé : « À moi, Paris. » Je me suis senti perdu, tout petit au bas d'une montagne à gravir. J'étais sans identité.

ELIE WIESEL – Chez nous, on n'avait pas le droit de parler de son père à la troisième personne en sa présence. Le père est père, non pas... « lui ». Le père n'est pas étranger.

FRANÇOIS MITTERRAND – L'étranger commence hors du cercle familial. Chez nous, comme nous recevions peu, les invités entraient comme par effraction, nous les regardions avec curiosité. C'est pourquoi, à Paris, j'étais dans un monde indifférent, dans des conditions d'âpreté, de solitude qui exigeaient de ma part toutes les ressources de la lutte et de la conquête.

ELIE WIESEL – Jusque-là, il n'y a pas eu de révoltes ?

FRANÇOIS MITTERRAND – Non, non...

ELIE WIESEL – Intérieure ?

FRANÇOIS MITTERRAND – Pas même.

ELIE WIESEL – Contre l'injustice ?

FRANÇOIS MITTERRAND – Ah, oui ! contre le monde extérieur. Je participais à un certain nombre d'événements de l'époque, qui était déjà agitée. On parlait beaucoup de ces choses. Mais, je le répète, je n'ai pas eu à me révolter contre mon environnement familial.

ELIE WIESEL – Dont vous faisiez partie, auquel vous apparteniez...

FRANÇOIS MITTERRAND – Oui, oui, absolument.

ELIE WIESEL – Un bloc soudé ?

FRANÇOIS MITTERRAND – Oui. Vous voyez que je n'avais pas l'esprit très original.

ELIE WIESEL – Au contraire, très original : d'habitude les jeunes se révoltent. Jadis, on immolait les enfants : l'histoire juive débute avec le sacrifice manqué d'Isaac. C'est un des passages les plus bouleversants de l'Écriture : le destin juif s'y reflète tout entier. J'y songe souvent en écrivant sur les événements que j'ai vécus moi-même. L'enfance d'Isaac est un peu aussi la mienne. L'enfance est-elle impuissance ?

FRANÇOIS MITTERRAND – C'est plutôt une force. Déjà je pensais que rien ne pourrait résister à une volonté. C'était ma philosophie. Je puise dans l'enfance la plus large part des réserves dont je dispose.

ELIE WIESEL – Avec l'âge, vient le moment où l'on se met à penser plus souvent, avec insistance, à sa propre enfance.

FRANÇOIS MITTERRAND – Oui. C'est peut-être un phénomène constant, inévitable, lorque l'on vieillit et que l'on approche de la mort. On revient à ses origines, à ses premières émotions, à ses premières sensations. J'ai un goût plus prononcé pour les photographies de mon enfance ou de mon adolescence, de mes parents, de leurs amis, des lieux où nous vivions. Je les collectionne. Quand on m'en apporte, je m'y attarde. Je cherche à travers elles ce qui m'a échappé. Je découvre un monde que je croyais connaître. Je me rends aussi de plus en plus souvent dans la province de Saintonge, en Charente, où je suis né, et je parcours les chemins. Même si je n'y habite plus depuis longtemps, je conserve dans cette région des points d'attache. Eh bien, à force de la parcourir, j'en viens aujourd'hui à mieux en connaître les villes et les villages que lorsque j'y vivais autrefois. À croire qu'une distance m'en séparait, une distance intérieure, et que mes promenades à bicyclette ou dans l'automobile fatiguée de mon père ne m'avaient pas assez rendu sensible à sa beauté, à sa grâce discrète. Je ne suis pas nostalgique, simplement mélancolique. Car ce passé qui revit si fort en moi, je sais qu'il s'enfonce

26

dans la nuit à mesure que file le temps, et qu'il disparaîtra avec moi. Après ma mort, qui se souciera de ce que j'ai ressenti aux côtés de mes parents et de mes grands-parents, dans ma maison et dans ma petite ville ?

ELIE WIESEL – Cette maison où vous êtes né, où vous avez grandi, qu'est-elle devenue ?

FRANÇOIS MITTERRAND – À la mort de mon père, nous en avons hérité en indivision. Or, je vous le rappelle, nous sommes huit frères et sœurs. Comme cela arrive souvent, chacun a compté sur l'autre pour s'en occuper, de sorte qu'au bout de quelques années nous avons constaté qu'elle risquait purement et simplement de finir abandonnée et de tomber en ruines. Alors nous avons décidé de céder cette maison à l'une de mes sœurs. Elle y habite une partie de l'année. Comme elle est assez démunie et que, d'une manière générale, nous avons peu de moyens matériels, tout est resté en l'état. Le décor est le même, et l'odeur de poussière, d'humidité, de salpêtre, de bois, de plâtre est la même, et les parfums du jardin également. Proust l'a dit bien mieux que moi, mais par ces odeurs je retrouve des sensations puissantes. La maison vit encore, chargée de souvenirs intacts. Il y a la chambre où je suis né, où sont nés tous mes frères et sœurs à l'exception d'un seul, qui est né

27

à Angoulême. Au moment de l'accouchement, une sage-femme qui habitait la maison en face de la nôtre venait aider ma mère. Puis on appelait le médecin de famille. Il s'appelait Jules Hubert, je m'en souviens, un brave homme, très sympathique, qui avait le crâne chauve. Quand j'y retourne, je retrouve ma maison telle qu'elle était. Ce sont les mêmes pièces, le même décor. Je crois qu'il existe peu d'endroits comme celui-ci, où les choses durent tandis que tout autour le monde se transforme si vite.

ELIE WIESEL – Moi aussi, bien sûr, je retourne de plus en plus dans mon enfance, et chez moi ce n'est pas pareil, à cause de mon histoire. Je suis attiré, inexorablement, vers les lieux de mon enfance. Je suis allé deux fois, trois fois à Sighet, et chaque fois je n'ai pas pu rester, il fallait que j'en reparte, que j'en reparte tout de suite.

FRANÇOIS MITTERRAND – Vous avez une charge de mémoire différente de la mienne, car vous avez été exilé. Vous avez vécu une vie d'exilé, trouvant ailleurs une nouvelle patrie.

ELIE WIESEL – Absolument.

FRANÇOIS MITTERRAND – Exilé de votre enfance, en tout cas de votre jeunesse, avec la Hongrie, puis la guerre, les déportations. Moi, au contraire, jusqu'à l'âge de vingt-deux ans, ma vie a été stable. Mes souvenirs n'ont pas été dérangés. Il n'y a pas eu de surimpression de souvenirs.

ELIE WIESEL — On est toujours plus ou moins exilé : du ventre de sa mère, ensuite de toute la famille, puis du lieu, du souvenir.

FRANÇOIS MITTERRAND — Je sais bien. On change de peau. On fait comme les serpents.

ELIE WIESEL — Je me souviens : quand je suis arrivé chez moi, j'ai eu l'impression de ne pas reconnaître la ville ni la maison où nous avions vécu. Elle était pourtant là. Des étrangers y vivaient.

FRANÇOIS MITTERRAND — Où cela ?

ELIE WIESEL — À Sighet, dans un pays qui était la Roumanie et qui avait été la Hongrie. C'était le même lieu, mais son nom avait changé.

FRANÇOIS MITTERRAND — Et au bout de deux ou trois jours, vous n'avez pas supporté ?

ELIE WIESEL — Quelques heures.

FRANÇOIS MITTERRAND — Quelques heures... Vous vous ennuyiez ?

ELIE WIESEL — Non, non... au contraire. J'ai ressenti tout à coup une angoisse comme si j'étais en pays hostile. Il fallait que je m'en aille le plus vite possible. Fuir. Aller n'importe où, mais ne pas rester un instant de plus. Le lendemain je suis rentré chez moi, aux États-Unis.

FRANÇOIS MITTERRAND – C'est parce que vous avez perdu... C'est insupportable...

ELIE WIESEL – C'est parce que rien n'avait changé. Les meubles étaient là, la porte en ouvrant faisait le même bruit...

FRANÇOIS MITTERRAND – Votre maison appartient-elle à d'autres personnes ?

ELIE WIESEL – Oui. À des gens que je ne connais pas, qui ne m'ont jamais vu et qui ne savent pas qui je suis...

FRANÇOIS MITTERRAND – J'éprouve, en plus atténué, la même impression que vous quand je retourne à Touvent...

ELIE WIESEL – Vous arrive-t-il de vous revoir enfant ?

FRANÇOIS MITTERRAND – Parfois, oui. Ce sont des images qui remontent. Un chemin pentu que je gravis, une rivière, des tilleuls à l'ombre desquels je me reposais. Là, j'ai rebâti le monde. Ces perceptions informes restent un refuge.

ELIE WIESEL – Nous aimons notre enfance, nous y revenons, nous la jugeons, elle nous juge. Que dites-vous aujourd'hui à l'enfant que vous étiez ?

FRANÇOIS MITTERRAND – Je n'ai rien à lui dire intérieurement.

ELIE WIESEL – Il n'y a pas de dialogue entre vous ?

FRANÇOIS MITTERRAND – Non, enfin, pas trop.

ELIE WIESEL – La littérature, pourtant, c'est ce dialogue entre l'adulte et l'enfant. La philosophie aussi.

FRANÇOIS MITTERRAND – Peut-être avez-vous raison. Je sens qu'il existe en moi-même un lieu immuable, où l'enfant que j'étais, avec son caractère, sa nature, sa personnalité, n'a pas changé. Naturellement, cela occupe une petite place en superficie, mais importante en valeur. Et puis, il y a tout ce qui a changé autour. Enfin, ce petit diamant qui est là s'est perpétué.

ELIE WIESEL – C'est l'ancre ?

FRANÇOIS MITTERRAND – Oui. Et si j'entrais dans votre explication de dialogue avec mon enfance – ce que je ne ressens pas personnellement –, ce serait pour dire que cela me sert de référence. J'ai l'impression que ce que je possédais à ce moment-là et le peu que j'en ai gardé (mais j'en ai gardé) représentent la fraction la plus pure et la plus nette de ma personnalité.

ELIE WIESEL – Pour moi, il s'agit d'un dialogue. Un dialogue entre l'enfant en moi et l'adulte qu'il est devenu. Il pèse sur mon œuvre. Parfois je sens que l'enfant m'accompagne, m'interroge et me juge.

FRANÇOIS MITTERRAND — Je comprends très bien ce que vous voulez dire : par rapport aux ambitions, aux rêves, aux exigences de l'enfance. Je vois bien quels ont été les manques et les défaillances. De ce point de vue, mon enfance serait mon juge. Mais enfin, ne dramatisons rien, je sens surtout la continuité.

ELIE WIESEL — Quand l'enfant naît, il naît avec toutes les nuances du monde. Il a ses exigences, ses ambitions. C'est l'enfant en moi qui m'a créé. Et vous ?

FRANÇOIS MITTERRAND — Je vous l'ai dit : j'avais plus d'intuitions à quinze ans qu'aujourd'hui. Mon enfance était pleine de sagesse. J'avais une perception de la fugacité très conforme à ce que j'ai vécu après. Aujourd'hui, ce qui est sensoriel en moi, ce qui est capital aussi correspond à des élans de mon enfance. L'enfant d'autrefois détermine mes impressions et mon jugement, non mon action.

ELIE WIESEL — N'influence-t-il pas davantage votre vie aujourd'hui ?

FRANÇOIS MITTERRAND — C'est une référence qui n'est pas obsédante. Quand je me trouve dans une situation difficile, il me suffit de me rappeler ce que je pressentais déjà.

ELIE WIESEL – C'est tout de même l'enfant qui vous demande : « Qu'as-tu fais de mon avenir ? »

FRANÇOIS MITTERRAND – Avant d'avoir abordé le monde, on est très exigeant. Pour soi-même et pour le monde.

ELIE WIESEL – Ce qui est très beau, d'ailleurs. On ne ment pas, on n'a pas le droit de mentir à un enfant. C'est trop grave. Un enfant, aujourd'hui, peut faire de moi ce qu'il veut. Je peux pleurer, je peux rire, je suis heureux, je suis malheureux simplement parce qu'un enfant me regarde et que je regarde un enfant. Et quand j'essaie par exemple d'illustrer la tragédie, la condition humaine aujourd'hui, je le fais toujours avec des enfants. Chaque engagement de ma part pour les Droits de l'homme, c'est toujours par la cause des enfants que j'y arrive. Je vois une photographie d'enfant qui pleure, je vois les enfants du Biafra, maintenant des enfants en Yougoslavie... Vous avez sans doute vu cette photographie, en août 1993, et lu les articles que l'on a écrits là-dessus : cent vingt enfants malades, arriérés, abandonnés à cinquante kilomètres de Sarajevo...

FRANÇOIS MITTERRAND – Oui, c'est une grande douleur, une douleur insupportable.

ELIE WIESEL – Intolérable ! Et je me suis dit : moi, si j'étais plus proche de vous physiquement, je vous aurais conseillé, je ne sais pas, d'envoyer tout de suite des avions pour ramener ces enfants-là – des enfants abandonnés, affamés de solitude, mentalement malades et physiquement malades, cent vingt enfants, et sales, parce que même les infirmiers les ont abandonnés... Que peut-on faire, dans le monde d'aujourd'hui, pour que l'enfance des hommes soit protégée ?

FRANÇOIS MITTERRAND – En prendre davantage conscience.

ELIE WIESEL – Que peut-on faire ? Comment faire ?

FRANÇOIS MITTERRAND – Là où l'on est, faire ce que l'on peut.

ELIE WIESEL – Est-ce un aveu d'impuissance ?

FRANÇOIS MITTERRAND – Cela fait partie du malheur du monde. Je ne veux pas dire par là que je m'incline devant la fatalité, mais nous ne sommes pas encore sortis de la barbarie. Tout cela se passe sous nos yeux.

ELIE WIESEL – On dirait que le monde aujourd'hui ne peut pas coexister avec ces enfants...

FRANÇOIS MITTERRAND – Je crois que vous avez une vue...

34

ELIE WIESEL – Idéaliste ? Peut-être...

FRANÇOIS MITTERRAND – Romanesque, presque mystique, non ? Ces sentiments qui vous habitent ne sont pas les plus courants. Moi, je crois que c'est notre part de barbarie. La vie avance et ne s'occupe pas des êtres humains, enfants ou vieillards, qu'elle écrase au passage.

ELIE WIESEL – Cela veut dire que des gens paient le prix pour que nous puissions avancer. On tue des enfants, on tue l'enfance pour que l'homme devienne adulte.

FRANÇOIS MITTERRAND – Je ne sais pas si c'est pour cela, non.

ELIE WIESEL – Aujourd'hui, c'est Sarajevo. Mais je pense que c'est fini, Sarajevo. Partout où je vais, on me dit : « C'est fini, Sarajevo. »

FRANÇOIS MITTERRAND – C'est vrai que cette ville, assiégée dans une région dominée par les Serbes de Bosnie, est très exposée. Même dans les plans de regroupement serbe, croate et musulman de Bosnie, Sarajevo n'a pas encore sur les cartes un passage, un corridor qui lui permettrait de rejoindre le bloc musulman. Mais aujourd'hui, les forces des Nations unies – notamment beaucoup de Français – sont là-bas, et il faudrait désormais que les Serbes prissent beaucoup de risques pour assaillir cette ville et tenter de l'investir : ils devraient passer sur les cadavres des soldats des Nations unies. Mais si ces derniers s'en vont...

ELIE WIESEL — Je viens d'apprendre que les forces serbes ont pris une montagne stratégiquement très importante, qui leur ouvre le chemin de Sarajevo.

FRANÇOIS MITTERRAND — Vous savez, les chemins... Ils y sont depuis très longtemps, les Serbes, sur toutes les collines entourant Sarajevo. Ils peuvent voir ce qui se passe dans la ville. Les quartiers suburbains de Sarajevo sont d'ailleurs pratiquement aux mains des Serbes.

ELIE WIESEL — Moi, j'ai peur... J'ai peur de l'arrivée des Serbes. Dès qu'ils entreront là-bas, j'ai peur des atrocités qui seront commises. Je me demande s'il ne faudrait pas faire un geste.

FRANÇOIS MITTERRAND — Quel geste ? Nous y avons nos soldats.

ELIE WIESEL — J'aimerais vous poser une question. Pour être là, en tant que témoins, lorsque les Serbes arriveront — s'ils arrivent —, ne pourriez-vous pas envoyer à Sarajevo une cinquantaine d'intellectuels ? Être là, simplement comme témoin, et ainsi sauver des vies humaines. Je suis

36

sûr que nous sauverions pas mal de vies, simplement parce que nous y serions.

FRANÇOIS MITTERRAND – C'est un projet qui habite beaucoup d'esprits.

ELIE WIESEL – Si vous le faites, bien sûr, je suis avec vous. Pour revenir à notre propos, je crois au mystère de l'enfance – pas vous ?

FRANÇOIS MITTERRAND – Non. Le mystère de la vie reste entier : c'est l'arrivée du jour, le commencement de la lumière. Mais l'enfant, en tant que tel, n'est pas mystérieux.

ELIE WIESEL – La vie de l'enfant est mystérieuse.

FRANÇOIS MITTERRAND – La vie... On commence, on continue, on vieillit, on disparaît. C'est un rythme général.

ELIE WIESEL – La vie, c'est cela : on commence...

FRANÇOIS MITTERRAND – Seulement, quand on est enfant, on arrive sur cette planète dont on ne connaît rien – peut-être certains gènes transmis par les générations précédentes vous préparent-ils à l'existence – mais tout est à apprendre, tout est à ressentir. Les premières sensations sont si fortes et dominent tout le reste de la vie parce qu'elles sont les premières. Elles impressionnent une toile vierge.

ELIE WIESEL – Oui. Un sage talmudique compare l'enfant à une page blanche – ce qui fera rugir les psychologues. Mais c'est ainsi. C'est le commencement, le mystère du commencement. Avant, il n'y a rien. Et tout s'inscrit là-dessus, sur ce rien, et ce rien devient quelque chose qui existe, qui s'épanouit.

FRANÇOIS MITTERRAND – Oui, mais il n'y en a pas pour longtemps, de toute façon...

ELIE WIESEL – Oui, mais la vie elle-même ?

FRANÇOIS MITTERRAND – L'enfance passe très rapidement. Et encore, il y a plusieurs enfances. Si vous regardez un enfant qui vient de naître, dites-vous bien que ce ne sera pas le même enfant, physiquement et, sans doute, moralement et intellectuellement dans trois mois, dans six mois. Ensuite, il se cristallisera vers deux ou trois ans, et c'est un enfant qui changera, qui ne sera pas le même tous les trois ou quatre ans. Quand on regarde un enfant, il faut toujours se dire qu'on ne le connaîtra que l'espace d'un instant, que déjà un autre enfant lui succédera. On voit toujours son enfant pour la dernière fois.

ELIE WIESEL – Mes références sont presque toujours d'ordre religieux. Peut-être est-ce parce que mon

enfance fut imprégnée exclusivement par la Bible.
Avez-vous eu une éducation religieuse ?

FRANÇOIS MITTERRAND – Ma famille était catholique
pratiquante.

ELIE WIESEL – Avez-vous servi la messe ?

FRANÇOIS MITTERRAND – Oui, tout naturellement.

ELIE WIESEL – ... avec le général de Bénouville ?

FRANÇOIS MITTERRAND – Cela a dû arriver puisque
nous étions dans la même classe au collège. Quant
à mes parents, ils étaient catholiques, du côté de
mon père, depuis plusieurs générations. Du côté
de ma mère, de mon grand-père maternel, plus
récemment, parce qu'ils étaient des bourgeois plus
rationalistes. Mais du côté de ma mère et de sa
mère à elle, c'était quand même une dominante
chrétienne, catholique active, croyante, engagée. Je
baignais dans ce climat-là.

ELIE WIESEL – Était-ce enrichissant ou pratiquiez-
vous par obligation ?

FRANÇOIS MITTERRAND – C'était enrichissant. Il y a
des valeurs mystiques – des impressions de
musiques, des chants, une odeur spécifique aux
églises, faite d'encens et de lys (bien entendu, il n'y
a pas que cette fleur-là, mais c'est surtout d'elle
dont je me souviens) qui créent une intense poésie.
Quand je suis rentré, comme je l'ai fait dernière-

ment, dans l'église de Jarnac pour voir ses transformations, j'ai tout de suite été saisi par cette odeur-là, qui reste la même.

ELIE WIESEL – Moi, j'avais peur de cette odeur-là. Chaque fois que je passais devant l'église et que je sentais l'encens, je changeais de trottoir. Chacun doit affronter ses souvenirs, bien sûr. Toute religion met l'accent sur l'enfance : enfance de Jésus, enfance de Moïse, enfance de Bouddha. Y a-t-il un message dans le fait que chaque fondateur de religion invoque l'enfance ?

FRANÇOIS MITTERRAND – L'esprit de l'enfance, c'est l'esprit de pureté, supposé, c'est l'authenticité. Ce que vous disiez tout à l'heure : c'est le commencement. Le désir de commencement et de recommencement et d'éternel recommencement pour plus de rigueur de toute vie humaine est un aliment puissant pour une religion.

ELIE WIESEL – Et puis aussi parce que je pense que les religions font appel à l'innocence, donc à l'enfance.

FRANÇOIS MITTERRAND – Beaucoup, oui.

ELIE WIESEL – À l'enfance des hommes et des femmes.

FRANÇOIS MITTERRAND – Parce qu'ils savent que c'est à cette période-là que s'impriment (j'ai employé cette expression tout à l'heure) pour toujours beaucoup d'éléments de l'existence.

ELIE WIESEL — Et de destin, finalement. Il existe une curieuse parole talmudique : depuis la destruction du Temple de Jérusalem, il n'y a plus de prophètes, le don prophétique est l'apanage des fous et des enfants.

FRANÇOIS MITTERRAND — Oui, je sais bien. Les enfants et les fous ne sont pas dominés par la raison. Or, une religion exige une foi, et la foi a des valeurs irrationnelles.

ELIE WIESEL — Ils sont libres. Libres de raisonner au-delà du raisonnement.

FRANÇOIS MITTERRAND — Oui.

ELIE WIESEL — L'enfance, c'est aussi pour moi la maladie. J'étais souvent malade. Ma mère m'emmenait chez des maîtres hassidiques illustres pour recevoir leur bénédiction, et consulter des professeurs renommés. Si j'ai pu visiter Budapest, c'est parce que les médecins m'y envoyaient me faire examiner par les grands spécialistes. La première rupture avec l'enfance est celle de l'intrusion de la mort. Un enfant en deuil n'est plus un enfant. Avez-vous connu l'angoisse de la mort ?

FRANÇOIS MITTERRAND — Non. Nous n'étions pas élevés dans un cocon. J'allais où je voulais. Il

41

était seulement interdit d'entrer dans la rivière
sans savoir nager. Mais j'ai découvert un gué
avec mes frères, ce qui prouve que je n'étais
pas très obéissant. La première fois que j'ai rencontré la mort, je devais avoir douze ans. Nous
étions au mois de juin. Il pleuvait. L'un de mes
camarades de classe, Alphonse, un Noir, rechi-
gnait à se baigner. Finalement, il est entré dans
l'eau. Pour mourir aussitôt. Hydrocution. Je me
trouvais à cent mètres de lui et n'ai donc pas
assisté à la noyade. Mais j'étais là quand on a
sorti de l'eau le corps d'Alphonse. Je ne suis
pas allé à ses obsèques, parce que je ne connais-
sais pas ses parents. Mais cette mort, et plus
tard celle d'autres camarades de classe, m'a
touché. Pourtant, je me suis longtemps cru
immortel. Façon de parler ! La mort des autres
me frappait, mais je pensais que j'aurai une vie
longue. Même pendant la guerre, exposé à la
mort, je n'ai pas été visité par cette peur. Sauf
peut-être le premier jour, quand je me suis
retrouvé en première ligne. Lorsque les Allemands commencèrent à utiliser leur artillerie,
cela créa une intense impression, comme une
crainte physique. Je ne pensais pas que je
mourrais, mais mon corps, mes sens réagissaient. Le courage consiste à dominer sa peur,
non à ne pas avoir peur.

42

ELIE WIESEL – Vous souvenez-vous de votre premier deuil ? Moi, je me souviens de l'enterrement d'une cousine, des bougies à son chevet, des larmes de ma tante, du chuchotement des visiteurs. Je me rappelle aussi la mort d'un maître hassidique. On avait fermé tous les magasins en signe de deuil. Au passage du cortège funèbre, les passants sanglotaient dans la rue.

FRANÇOIS MITTERRAND – Avant la guerre, pendant la grande crise des années 1929-1930, mes grands-parents ont vendu leur propriété de Touvent. Voilà mon premier deuil. Un vrai deuil, comme la perte d'un être cher. Déjà on commençait à vider la maison de ses meubles. Dans le coin d'une pièce vide, ma grand-mère était assise dans un fauteuil. Elle avait les yeux rougis par les pleurs, et moi j'étais là, à ses côtés, et je me sentais désespéré.

Peu après la vente de la propriété, ma grand-mère est morte. Mon enfance basculait. Certes, j'ai eu de la chance de ne pas rencontrer la mort plus tôt.

Quand ma grand-mère est morte, je suis resté pétrifié, assis dans un fauteuil, à m'emplir les yeux pendant des heures. J'aurais eu l'impression de trahir si je m'en étais allé. La mort n'est pas la séparation d'un instant. Je n'ai donc pas quitté des yeux ma grand-mère jusqu'à la mise en cercueil.

C'était une vieille dame, elle avait soixante-quinze ans. Je garde d'elle le privilège d'un amour véritable.

ELIE WIESEL — Faisait-il beau ce jour-là ?

FRANÇOIS MITTERRAND — On était au mois d'août, pendant les vacances. Elle est morte dans la nuit. Mes parents n'avaient pas voulu que nous, les enfants, restions près d'elle. Mais dès que la mort a été annoncée, on m'a prévenu et je ne l'ai pas quittée.

ELIE WIESEL — Avez-vous pleuré ?

FRANÇOIS MITTERRAND — J'ai toujours eu de la peine à exprimer mon chagrin, surtout en public.

ELIE WIESEL — Cette mort vous a-t-elle marqué ?

FRANÇOIS MITTERRAND — Elle touchait pour la première fois le cercle de ceux que j'aimais. Je ne pensais pas à la mort, mais à la morte. Je me sentais solidaire. Ma grand-mère m'avait appelé avant de mourir. Ce furent ses dernières paroles. J'avais encore plus de chagrin en pensant qu'un jour j'aurais moins de chagrin. Je pensais que l'œuvre du temps, la vie même me feraient oublier et qu'ainsi je trahirais un peu.

ELIE WIESEL — Quand quelqu'un meurt, nous sommes appelés par sa mort. Terrible mystère.

On décrit l'Ange de la Mort comme « l'émissaire des gens ». On dit qu'il est couvert d'yeux : en regardant, il tue. La mort, c'est le regard des vivants.

FRANÇOIS MITTERRAND – Je pensais à la séparation éternelle.

ELIE WIESEL – Pourtant, les catholiques croient aux retrouvailles dans l'autre monde.

FRANÇOIS MITTERRAND – Pour moi, c'était pour toujours. Je me disais qu'il fallait être, dans la vie, fidèle aux morts. Souvent, je me faisais le serment qu'il ne se passerait pas un jour sans que je me souvienne. J'ai tenu à peu près ce serment. Chaque soir, je consacre un temps à la réflexion. Je n'oublie aucun de ceux qui m'ont entouré, qui m'ont accompagné, même ceux avec lesquels je n'étais pas uni par des liens affectifs forts. J'ai toujours eu le sentiment que je serais le tombeau du souvenir. Penser aux morts, c'est assurer la survie des gens qu'on a aimés, en attendant que d'autres le fassent pour vous. C'est un devoir de mémoire. Je me vois en gardien à la porte d'une forteresse – gardien de la mémoire, gardien du souvenir. Ma grand-mère s'appelait Eugénie. Elle était née sous le second Empire. Je me sentais responsable de sa mémoire, témoin de sa vie.

ELIE WIESEL — Avait-elle été heureuse ?

FRANÇOIS MITTERRAND — Elle avait eu quatre enfants. Elle a perdu son premier fils, enfant. Son deuxième fils est mort, à vingt ans, de phtisie galopante. Elle en avait été désespérée.

ELIE WIESEL — Avait-elle reporté son amour sur vous ?

FRANÇOIS MITTERRAND — Je le crois. Elle avait beaucoup de tendresse pour moi. Mon grand-père était un personnage chatoyant, ayant des idées sur tout. Il a vécu jusqu'à quatre-vingt-cinq ans. Quand il est mort, j'avais vingt ans. J'étais endurci. J'ai eu beaucoup de chagrin, mais c'était davantage dans l'ordre des choses.

ELIE WIESEL — J'avais aussi une grand-mère. Elle vivait chez nous, avec nous, à Sighet. Mais mon grand-père paternel, je ne l'ai pas connu. Il est tombé comme brancardier, pendant la Première Guerre mondiale. Il y a quelques années, en visitant le cimetière, chez nous, je me suis retrouvé devant sa pierre tombale. J'ai vu son nom. Qui est le mien.

FRANÇOIS MITTERRAND — Nous n'avons pas cette tradition, qui est très belle. Chez les Mitterrand, le nom de Gilbert revient souvent depuis le XVIᵉ siècle.

ELIE WIESEL – On peut remonter jusqu'à Abraham et David. Quand l'ennemi a agi, il a aussi agi contre nos noms. Il avait compris que les noms sont la mémoire.

FRANÇOIS MITTERRAND – Oui. Mon grand-père, lui, s'appelait Jules comme Fabre, Guesde, Gambetta.

ELIE WIESEL – Vous souvenez-vous de la mort de votre mère ?

FRANÇOIS MITTERRAND – Elle est morte cinq ans plus tard, après ma grand-mère. Je me trouvais à la maison. Ma mère, qui était cardiaque, a mis deux ans à mourir. Elle est restée allongée un an. On se relayait à son chevet avec mes frères et sœurs. Quand elle est morte, elle était inconsciente depuis trois jours. Il n'y a pas eu de « moment » de la mort.

ELIE WIESEL – Le deuil de votre mère a-t-il été, pour vous, le même que celui de votre grand-mère ?

FRANÇOIS MITTERRAND – Oui. Mais je m'y attendais. J'ai souffert de sa longue agonie.

II

FOI

ELIE WIESEL – Enfant, vous étiez très croyant. Vous avez d'ailleurs fait vos études à Angoulême, chez les « bons pères »...

FRANÇOIS MITTERRAND – Ce n'était pas chez les « bons pères ». Un collège diocésain de prêtres séculiers comme l'était le collège Saint-Paul d'Angoulême n'est pas un ordre d'enseignement. J'étudiais dans une institution privée catholique où les professeurs restaient souvent des prêtres paysans. Ce n'était pas une école de pensée, le tempérament était différent de celui des jésuites.

ELIE WIESEL – Je voulais simplement dire que, comme pour moi, dès le début et par la suite, la foi a joué pour vous un rôle important, sinon central.

FRANÇOIS MITTERRAND – Non, je ne crois pas. J'ai eu la foi que l'on m'a enseignée dans ma famille et chez mes maîtres. J'ai un tempérament que l'on appellera religieux. Je m'intéresse à ce genre de questions. Je suis porté naturellement à les rechercher moi-même. Au fond, j'admets l'existence d'un principe et d'une explication, mais mon esprit hésite sur les modalités de l'explication. Cette façon d'être a beaucoup influencé mon éducation. J'ai une culture tournée vers l'étude de ces problèmes ou des ouvrages consacrés à ces problèmes. Je me plais à leur forme littéraire et à leur expression stylistique. Tout cela fait qu'en apparence, on pourrait dire de moi ce que vous avez dit. En réalité, je suis agnostique. Je ne sais pas si je sais, je ne sais pas si je ne sais pas : cela ne peut s'appeler la foi.

Elie Wiesel – Pourtant, vous avez dit un jour, en évoquant votre enfance : « Le temps et les choses parlaient de Dieu comme d'une évidence. »

François Mitterrand – C'est exact. J'ai éprouvé cette sorte de certitude. Mais s'il s'agit de l'idée d'un principe – pour ne pas dire d'un Dieu – ordonnant les choses, je dirais, dans mon agnosticisme, que si je penche d'un côté, c'est tout de même de celui-là. Cependant, je ne pratique pas et même je me méfie des dogmes.

Elie Wiesel – Je pense que l'on peut se révolter contre Dieu. Parfois, la seule foi du croyant consiste à rejeter cette foi, ou du moins à la remettre en question.

FRANÇOIS MITTERRAND – Je ne suis pas entré en rébellion contre Dieu. Je n'ai pas eu à déchirer une carte d'adhésion, ni à quitter une église. Il ne m'a pas fallu couper un cordon ombilical. Insensiblement, au fil des jours, j'ai pris de la distance, et cette évolution s'est faite en moi, au hasard de la vie.

ELIE WIESEL – Il n'y a donc eu ni drame ni rupture, simplement une évolution lente... Vous souvenez-vous du moment où vous avez commencé à perdre la foi ?

FRANÇOIS MITTERRAND – N'ayant pas eu de nuit de Pascal, ni de pilier de cathédrale comme Claudel, je ne pourrais situer ce moment avec précision. Mais je pense que cela date de la guerre.

ELIE WIESEL – Moi, je me souviens de la première fois où je n'ai pas mis les phylactères. C'était en 1949, en Israël. Je me trouvais avec un journaliste. J'étais tellement occupé, ce jour-là, que j'ai complètement oublié de les mettre. Et pour moi, c'était terrible, parce que je suis très pieux. Mais le monde ne s'est pas effondré. Pourtant, j'étais convaincu que si je commettais un tel acte, je mourrais sur-le-champ d'une crise cardiaque !

FRANÇOIS MITTERRAND – Vous avez survécu !

ELIE WIESEL – Oui, parce que Dieu est patient.
Vous avez dit quelque part : « La liberté, c'est une
rupture. »

FRANÇOIS MITTERRAND – Oui, toujours. D'abord,
pratiquement, la liberté se conquiert. La liberté,
c'est passer d'un état à l'autre, c'est s'arracher à
quelque chose. C'est donc une rupture. Je partais
d'un exemple vécu, qui est que pour conquérir
ma liberté de prisonnier de guerre, il a fallu
qu'un petit matin de mars je rompe avec la pratique quotidienne d'un camp de prisonniers, que
j'accepte l'enchaînement de risques que cela sup-
posait. Franchir une clôture de fils de fer bar-
belé, c'est une rupture. Cette image reste gravée
dans ma mémoire. La perte de liberté, vous
savez, peut être confortable, même dans la
misère. Le confort naît tout naturellement à
l'intérieur d'un ordre établi, même si celui-ci
joue contre vous. Il faut préférer un autre
confort, celui de l'esprit dans la liberté, de
manière à pouvoir rompre.

ELIE WIESEL – Il y a longtemps, j'ai passé une année
à l'hôpital à cause d'un accident de la circulation.
Eh bien, le jour où le médecin m'a dit : « Demain,
vous partez », j'ai eu peur.

FRANÇOIS MITTERRAND – Je comprends cela. Moi,
j'ai failli ne pas m'évader, en mars 1941, parce que

j'avais reçu de ma famille, quelques jours auparavant, et pour la première fois, un colis contenant une paire de magnifiques brodequins. Comme ils étaient neufs, je ne pouvais les emmener avec moi : c'eût été me faire repérer tout de suite. C'est absurde, mais j'ai été tenté de rester pour garder mes chaussures.

ELIE WIESEL – La liberté de ne pas être libre est peut-être aussi une forme de liberté.

FRANÇOIS MITTERRAND – Dans ce cas, il faut que le choix soit libre. J'avais le choix de rester là où j'étais. Ma liberté, c'était de pouvoir aller et venir où je voulais, rentrer dans mon pays, reprendre le combat, retrouver les gens que j'aimais – bref, sortir de l'état de sujétion qui était le mien. Bien entendu, j'avais aussi la liberté de dire : « Je peux rentrer chez moi, mais je préfère rester. » J'avais un ami qui s'appelait Antoine Mauduit. C'était un homme admirable. Il fut déporté à Bergen-Belsen et, après sa libération, y resta quelques jours pour soigner les autres, refusant de prendre le premier train, comme on le lui proposait, pour rejoindre sa femme, avec laquelle je l'attendais sur le quai de la Gare de l'Est. Il attrapa le typhus et en mourut. Cela, c'est la liberté portée à son stade supérieur, la liberté du sacrifice.

ELIE WIESEL – C'est la liberté transformée en foi.

FRANÇOIS MITTERRAND — Exactement. Pour lui, qui était un catholique converti extrêmement croyant et qui avait le sens de la sainteté, c'était la foi. Il ne pouvait agir que dans l'absolu.

ELIE WIESEL — Qu'était-il avant de se convertir ?

FRANÇOIS MITTERRAND — Je ne sais quels étaient ses antécédents religieux. Il était incroyant jusqu'à ce jour où, avant la guerre, il a eu une révélation, une illumination. Lui qui venait d'une famille très aisée, il s'engagea comme ouvrier agricole et fit des saisons ici ou là. Puis il s'engagea dans la Légion étrangère pour rompre avec tout. Il fit la guerre à ce titre, fut fait prisonnier et revint dans des conditions que j'ai oubliées. Il organisa alors, dans le Dévoluy, un massif montagneux des Alpes situé un peu au sud du Vercors, une sorte de phalanstère, une communauté d'esprit religieux qui regroupait des gens de toutes sortes parce qu'ils y trouvaient la sécurité. Jusqu'à ce qu'on l'arrête et qu'on le déporte.

ELIE WIESEL — Camus se demandait si l'on peut être saint sans croire en Dieu.

FRANÇOIS MITTERRAND — Je pense que oui. Dieu est un aiguillon, une motivation supérieure à toute autre. Certains laïques, certains incroyants ont connu la plus aride des saintetés ; leur référence était une façon d'être, une morale individuelle, une éthique, sans qu'il y eût d'autre récompense que le sentiment du devoir accompli.

ELIE WIESEL – Il me semble que l'on retrouve un phénomène identique chez les communistes.

FRANÇOIS MITTERRAND – La foi se traduit en dogme, et l'on peut être dogmatique quel que soit son camp. Les communistes ont ainsi eu leurs héros ou leurs saints qui, par respect absolu de leur dogme, sont allés jusqu'au sacrifice.

ELIE WIESEL – Le vocabulaire communiste est un vocabulaire religieux sinon mystique et le communisme s'apparentait à une religion. Il y avait Marx, Lénine et les autres, les prophètes.

FRANÇOIS MITTERRAND – Tout à fait. D'ordinaire, une religion cherche à tout contrôler de la vie d'un individu, sans rien laisser au hasard. Le langage, l'esprit, chacun des actes de la vie étaient enrôlés au service de l'idéologie communiste. Vous remarquerez à ce propos que les pays catholiques du sud de l'Europe ont été finalement les pays où le communisme a rencontré le plus grand succès, où s'est le plus développé le passage d'une partie de notre société du catholicisme pratiquant au communisme militant. Ce qui a sans doute exigé beaucoup de déchirements, mais pas un changement de nature.

Elie Wiesel — Pensez-vous réellement que la foi soit nécessairement et inévitablement liée à des dogmes ? Ne pensez-vous pas qu'il puisse y avoir une foi sans dogme ?

François Mitterrand — Je n'ai dit cela qu'à propos des communistes. Exception faite de quelques grands esprits, pour la plupart des hommes une foi doit être entretenue, c'est-à-dire durer. Or, le commun des mortels a besoin, pour entretenir sa foi, de structurer celle-ci autour d'idées clés et d'une pratique. C'est le rôle des Églises, qui produisent leurs dogmes. Ne pas appartenir à une Église, lorsqu'on est un croyant, exige un grand héroïsme, c'est une aventure individuelle de l'esprit très difficile.

Elie Wiesel — Peut-on, doit-on avoir la foi tout en cherchant la foi ? Est-ce toujours, pour les chrétiens, un don, une sorte de grâce ?

François Mitterrand — « Tu ne me chercherais pas si tu ne m'avais trouvé », dit Pascal. On continue à chercher la foi, alors qu'on l'a déjà trouvée. De nombreux récits en témoignent. Voyez Thérèse d'Avila, grande mystique ; voyez aussi Thérèse de Lisieux, petite religieuse inculte. Au fond, les grands mystiques auront passé la moitié de leur vie à douter tout en ayant une foi intériorisée : je doute, je suis dans le désert, Dieu est absent, mais je continue de croire en lui et de le servir.

Elie Wiesel — Autrement dit, la foi est un défi.

François Mitterrand — Si c'est une vraie foi, oui. Le doute accompagne fatalement la foi. Ne parlons pas de ceux qui ont la foi simplement parce qu'ils l'ont reçue et qui l'entretiennent à petit feu, comme une habitude commode.

Elie Wiesel — Le mysticisme vous intéresse, n'est-ce pas ? Je sens qu'il vous intrigue et vous attire. Pourquoi ?

François Mitterrand — Nous connaissons tous des élans mystiques. Mais peut-être avez-vous raison. Pourquoi cette attirance ? À cause de la poésie. Les mystiques chargent les êtres et les choses d'une bouffée de poésie qui me donne tout à coup l'envie de comprendre le monde et l'existence autrement que par les lois de la raison ou les commandements de la science.

Elie Wiesel — Lisez-vous encore des livres sur le mysticisme ?

François Mitterrand — En tout cas des livres sur les mystiques. Thérèse d'Avila, François d'Assise,

Saint Jean de la Croix, même la dernière « Petite Thérèse », Thérèse de l'Enfant-Jésus, personnalité très forte. Ce sont des références classiques, et leurs livres sont faciles à trouver dans les librairies.

ELIE WIESEL — Vous ne lisez rien sur les traditions juive, soufiste ou bouddhiste ?

FRANÇOIS MITTERRAND — Rien de particulier. Je connais les différents livres de la Bible, c'est tout. Mais ce n'est pas très mystique, la Bible...

ELIE WIESEL — La Bible sert de fondement à la tradition juive dans son entièreté. Et puis, on y trouve quand même des choses qui relèvent de l'irrationnel.

FRANÇOIS MITTERRAND — Je ne crois pas que l'on puisse dire que tout ce qui est irrationnel soit mystique. La Bible est un livre de raison, le livre de famille d'un peuple.

ELIE WIESEL — Tout à l'heure, vous parliez de la science pour l'opposer à la foi. Mais un pur intellectuel, qui conçoit l'univers comme catégorie d'idées, n'a-t-il pas, lui aussi, besoin de la foi ?

FRANÇOIS MITTERRAND — Je ne sais pas s'il en a besoin, mais beaucoup de savants ont, dans nos sociétés occidentales, la foi, une foi chrétienne. Ils admettent le miracle, ils admettent la Trinité, ils admettent tous les mystères qui entourent la naissance de Jésus-Christ... Ce qui prouve que la foi, lorsqu'elle s'empare d'un esprit ou d'une âme, est plus forte que la raison scientifique. Le plus grand intellectuel, qui exige de sa pensée, comme vous dites, la clarté des catégories, est soudain capable de plonger : il n'a pas de réponse quand il s'interroge sur son destin personnel ; et, n'ayant pas de réponse, s'il a la foi, celle-ci lui apporte le confort dont il a besoin.

ELIE WIESEL — J'ai rencontré de très grands physiciens à Oxford ou à Harvard qui sont des catholiques fervents, qui ont la foi et qui croient même aux dogmes.

FRANÇOIS MITTERRAND — Mais s'ils ne l'ont pas, c'est autre chose. D'éminents savants et de grands intellectuels ont eu la foi par leur science ; pour d'autres, au contraire, c'est la science qui les a éloignés de la foi.

ELIE WIESEL — Un jour, des scientifiques de la NASA m'ont invité à faire une conférence sur le mysticisme. J'en fus surpris, mais j'ai accepté. Je leur ai demandé pourquoi des gens comme eux, qui s'occupent de la science, de l'espace, tenaient à connaître le mysticisme. Ils m'ont répondu qu'ayant atteint les limites du savoir, ils cherchaient ce qu'il y avait au-delà, et que, si cette foi existait, elle ne pouvait qu'être de nature mystique.

FRANÇOIS MITTERRAND — Écoutez le plus grand des savants, il vous dira qu'à l'heure actuelle l'esprit humain n'a pas de réponse sur le « pourquoi » ; il accumule les réponses sur le « comment » ; mais entre le plus raffiné, le plus ultime « comment » de la découverte la plus audacieuse aujourd'hui — en mathématiques, en biologie ou en astronomie — et le « pourquoi », il reste encore des distances sidérales à parcourir. D'ailleurs, cet ultime « comment » sera dépassé par un autre « comment » qui, au moment où je m'exprime, est lui-même déjà dépassé. Il n'y a pas de changement de nature. Je crois donc qu'il faut, si j'ose dire, se jeter à l'eau. L'esprit le plus exigeant dans sa rigueur d'analyse doit, à un moment, avoir la foi toute bête d'un petit enfant, comme le disait le Christ.

ELIE WIESEL — « Pourquoi » serait la question des questions. Pourquoi Dieu a-t-il créé le monde ? Pourquoi existe-t-il ?

FRANÇOIS MITTERRAND — L'origine du monde... On additionne les « comment » sans avancer pour autant. On parle des quarks, des trous noirs, mais on pourrait encore, pendant des milliers d'années, avancer dans la connaissance des phénomènes originels, on ne trouverait pas l'explication du « pourquoi ».

ELIE WIESEL – C'est le mysticisme, le mystère du commencement.

FRANÇOIS MITTERRAND – Au commencement était le Verbe.

ELIE WIESEL – Pas chez les Juifs. *Bereshit Bara...* : « Au commencement Dieu créa les cieux et la terre. » Par le Verbe. Mais avant le Verbe, qu'y avait-il ?

FRANÇOIS MITTERRAND – Si j'avais la réponse, j'aurais la foi.

ELIE WIESEL – Je pense, moi, que si vous aviez la réponse à cette question, vous n'auriez pas la foi.

FRANÇOIS MITTERRAND – En tout cas, j'aurais une certitude. Si je cherchais l'explication avec des raisonnements purement matérialistes, j'aurais raison d'avoir la foi en autre chose qu'en la connaissance des mécanismes. Il me semble qu'il y a toujours quelque chose qui doit mettre la machine en marche. Voltaire le disait déjà, dans l'apologue de l'horloger.

ELIE WIESEL – Quels sont les pièges de la foi ?

FRANÇOIS MITTERRAND – Le plus évident est de se contenter d'une réponse, de refuser d'aller plus loin dans sa propre recherche. L'obscurantisme vient de là : on a jeté l'anathème sur Galilée ou sur les alchimistes ; on a assimilé toute expérience nouvelle, toute découverte scientifique, à de la sorcellerie.

ELIE WIESEL – Démarche qui a un nom : le fanatisme.

FRANÇOIS MITTERRAND – Tout à fait. La foi – je dirais plutôt le dogmatisme – entraîne le sectarisme, l'intolérance et donc la persécution. L'instinct de l'homme reprend le dessus : on persécute ; en même temps on s'assure le pouvoir. La manière la plus sûre, pour une Église, d'assurer la pérennité de son propre enseignement, de sa propre foi, est de disposer du pouvoir. L'Histoire est pleine d'exemples à ce sujet.

ELIE WIESEL – La religion ne devrait pas verser dans le fanatisme. Et pourtant elle le fait, à outrance. La foi, profonde et entière, et la tolérance semblent incompatibles...

FRANÇOIS MITTERRAND – Pas dans mon esprit. Mais je reconnais que chaque jour qui passe vous donne raison. Rares sont les gens de foi tolérants. Ils voudraient tellement que le monde fût régi par les règles qui régissent leur propre vie.

ELIE WIESEL – Les mystiques, quelle que soit leur croyance, sont des cas à part. On dirait qu'ils s'entendent mieux.

FRANÇOIS MITTERRAND – Parce qu'ils vont au-delà.

ELIE WIESEL – Entre les chrétiens, les Juifs et les musulmans, il y a une différence. Elle n'est pourtant qu'apparente. Les mystiques se retrouvent au-delà – dans l'unité. Mais il y a cette différence, qui fait que la foi déborde et débouche sur le fanatisme...

FRANÇOIS MITTERRAND – Des religions ont peut-être engendré des fois tolérantes, mais aucun exemple ne me saute à l'esprit. Certes, des hommes ont su, par leur expérience et leur enseignement, concilier foi et tolérance : Saint François d'Assise, par exemple. Mais plus nombreux sont ceux qui ont eu l'âme guerrière et crié : « Mort à l'Infidèle ! »

ELIE WIESEL – Aujourd'hui encore, d'ailleurs. Vous sentez-vous concerné par cette montée de l'intégrisme à laquelle nous assistons dans le monde ?

FRANÇOIS MITTERRAND – Cela me révolte. Sans vouloir employer de mots excessifs, je pense que les intégristes ont quelque chose de stupide. Quelle révélation ont-ils reçue ? Qu'est-ce qui les autorise à juger de tout, à punir, à frapper, à...

ELIE WIESEL – À tuer ? Aujourd'hui, on tue en Algérie, on tue en Iran. Le fanatisme est aveugle, il rend sourd et aveugle.

FRANÇOIS MITTERRAND – Le fanatisme est toujours, à mes yeux, un acte de sottise. Il me fait horreur.

C'est l'un des maux les plus dangereux pour l'espèce humaine.

ELIE WIESEL – Parce qu'il nie l'interrogation, donc la culture.

FRANÇOIS MITTERRAND – Parce qu'il nie la vie.

ELIE WIESEL – Et puis, le fanatique ne se pose pas de questions, il ne connaît pas le doute : il sait, il pense qu'il sait.

FRANÇOIS MITTERRAND – Le doute est utile.

ELIE WIESEL – Oui, seulement quand il pousse à l'interrogation. Qui permet la culture. Comment lutter contre le fanatisme ?

FRANÇOIS MITTERRAND – Ne pas lui opposer un autre fanatisme.

ELIE WIESEL – Voulez-vous dire que l'antifanatisme est aussi dangereux que le fanatisme lui-même ?

FRANÇOIS MITTERRAND – Naturellement. La tentation est grande d'agir avec les mêmes armes : il me frappe, alors je le frappe encore plus fort. Mais il faut respecter ses propres lois, éviter la dérive à laquelle vous contraint le fanatisme. Et c'est d'autant plus délicat que l'on ne peut pas être faible. Avec sagacité, prudence et fermeté, on y parvient : depuis un demi-siècle, depuis la fin des idéologies fascistes et nazies, le fanatisme et le terrorisme ne l'ont plus emporté dans nos sociétés occidentales.

ELIE WIESEL – Grâce à qui ? À quoi ? À la victoire des années ? Et l'éducation là-dedans est-elle un remède au fanatisme ? N'est-elle pas d'ailleurs le seul remède ?

FRANÇOIS MITTERRAND – C'est un remède, mais ce n'est pas le seul. Vous savez que Pic de La Mirandole fut l'un des partisans de Savonarole les plus fanatiques... Il apparaît comme l'un des plus grands humanistes de l'époque et, pourtant, il brûlait les livres avec son maître.

ELIE WIESEL – Il était également le disciple d'un très grand philosophe et mystique juif : Abraham Aboulefia. Tout à l'heure, vous m'avez dit que l'on pouvait, sans avoir la foi, être un saint. Je me pose une autre question : peut-on être laïque, agnostique même, et avoir la foi ?

FRANÇOIS MITTERRAND – Les termes sont incompatibles sémantiquement : l'agnosticisme, c'est la non-connaissance, en l'occurrence, d'une foi.

ELIE WIESEL – Ce que je voulais dire, c'est : la foi en l'homme et la foi en Dieu sont-elles conciliables ?

FRANÇOIS MITTERRAND – Plus que cela. Nombreux sont ceux qui ont une foi en l'homme d'autant plus forte qu'ils n'ont pas recours à l'explication surnaturelle. Mais il me semble que l'homme, dans la conquête de sa liberté, son affranchissement progressif, sa maîtrise du monde, le développement de son esprit, est porteur d'un message qui le dépasse. La foi en l'homme et la foi en Dieu ne sont pas exclusives l'une de l'autre, bien au contraire.

ELIE WIESEL – Je posais cette question parce que, au nom de la foi en l'homme, on a parfois récusé la foi en Dieu.

FRANÇOIS MITTERRAND – Ces deux types d'esprit coexistent et sont, bien souvent, complémentaires. Mais il existe une autre forme d'esprit, celui de gens qui ont foi en l'homme et pensent qu'il est plus beau et plus noble, quand on n'a aucune perspective d'une autre vie, d'assumer sa propre vie en fonction d'une certaine éthique, d'une certaine morale, d'un accomplissement supérieur.

ELIE WIESEL – J'ai bien connu François Mauriac. Il était presque amoureux du Christ. Plus que le christianisme, Jésus l'attirait. Est-ce que la mort de Jésus vous intéresse ?

FRANÇOIS MITTERRAND – Beaucoup, oui. C'est un homme qui, pour ses disciples, est Dieu en même temps. Comment cela est-il possible ? Dès l'origine du christianisme, on s'est demandé si le Christ était plus homme que Dieu ou plus Dieu qu'homme. Sur cette question, des sectes se sont étripées pendant des siècles, et se sont massacrées.

ELIE WIESEL – Ne peut-on pas supposer que tout homme soit un peu Dieu et un peu homme ?

FRANÇOIS MITTERRAND – D'un point de vue mystique, certainement. Puisque, pour les chrétiens, tout homme est créé à l'image de Dieu. Dans l'image, il y a forcément un reflet de Dieu, et peut-être même plus qu'un reflet...

ELIE WIESEL – Que serait-il arrivé si le Christ était mort d'une mort naturelle ?

FRANÇOIS MITTERRAND – Il n'y aurait pas eu de message. Le Christ est mort au service de l'humanité...

ELIE WIESEL – Donc, il a pris sur lui de souffrir pour les hommes.

FRANÇOIS MITTERRAND – Et de mourir. Sans quoi la mission n'eût pas été accomplie.

ELIE WIESEL – Pensez-vous qu'il soit possible de souffrir pour un autre ?

FRANÇOIS MITTERRAND – C'est l'idée même qui a présidé à la vie et à la mort de Jésus.

ELIE WIESEL – Et vous y croyez ?

FRANÇOIS MITTERRAND – J'ai lu tout ce que l'on pouvait lire à ce sujet : historiquement, je crois à l'existence du Christ. Et je crois qu'un homme peut accepter de remplir ce rôle. C'est dans ses capacités. Saint ou héros, il existe suffisamment d'hommes inspirés pour accepter de mourir pour le salut des autres hommes.

ELIE WIESEL – Je conçois que cette idée était celle de Jésus ou de ceux qui croient en lui. Mais personnellement, en tant que Juif, je ne comprends pas. Pour nous, il n'est pas possible de souffrir *pour* quelqu'un. Je peux souffrir *avec*, et peut-être même mourir avec quelqu'un, mais, je ne peux ni souffrir ni mourir à sa place.

FRANÇOIS MITTERRAND – Je crois pour ma part que la mort de Jésus était liée au message qu'il était chargé de transmettre.

ELIE WIESEL – En période de détresse, soit on s'approche de Dieu, soit on s'en éloigne.

FRANÇOIS MITTERRAND – Le plus souvent on s'en rapproche. Mais ce n'est pas là le plus noble du mouvement vers Dieu, parce que nous sommes alors habités par la crainte de l'inconnu. Toutes les peurs accumulées de toute l'histoire du monde s'emparent subitement de nous et nous cherchons alors un refuge. Cela peut également nous éloigner de Dieu. Ceux qui ont vu les pires atrocités en conçoivent souvent un rejet de Dieu.

ELIE WIESEL — J'ai connu des croyants qui, pendant la guerre, sont devenus athées ; j'ai aussi connu des athées qui, durant cette même guerre, sont devenus croyants. Napoléon disait : « On ne devient pas athée par souhait. »

FRANÇOIS MITTERRAND — Pourquoi voudrait-on devenir athée ? Je ne vois pas très bien l'objet de cette démarche.

ELIE WIESEL — Pour se révolter contre l'autorité. Le communisme, par exemple, représentait une volonté de se libérer de Dieu.

FRANÇOIS MITTERRAND — Les communistes considéraient que les religions étaient oppressives et les alliées des classes dirigeantes, du système en place. Elles empêchaient les masses de s'éduquer et de réfléchir. Votre point de vue n'est donc pas tout à fait faux. Mais comme les communistes ont eux-mêmes substitué une forme d'Église à une autre, ils ne peuvent pas se vanter du résultat. Pour revenir à ce que vous me disiez, pendant la guerre, un mouvement naturel me portait vers Dieu, parce que tous mes réflexes jouaient et que j'avais été éduqué en ce sens. Mais, en toute objectivité, cette période et celle qui a suivi ne m'ont pas vraiment rapproché de Dieu. J'ai eu des appels au secours, quasiment instinctifs, et pourtant j'ai retiré de la guerre un plus grand scepticisme.

ELIE WIESEL — Pensez-vous que votre foi, que l'on dit agnostique, soit communicable ?

FRANÇOIS MITTERRAND — Ne parlez pas de ma foi. Je me pose comme beaucoup de gens des questions et, je le répète, j'ai plutôt une tendance spiritualiste. Je ne peux pas argumenter avec vous sur la base de ma foi. Si vous me parlez de la foi, je vous répondrai que je n'en ai pas suffisamment pour être en état de la communiquer.

ELIE WIESEL — Même en présence d'un homme de foi ?

FRANÇOIS MITTERRAND — Si sa vie s'accorde à ses propos, cet homme-là peut m'impressionner, influencer mon comportement et ma pensée.

ELIE WIESEL — Vous avez rencontré plusieurs grands hommes de foi dans votre vie, n'est-ce pas ? Plusieurs papes ?

FRANÇOIS MITTERRAND — Des hommes de foi, oui. Mauriac, Massignon, Mauduit, des moines du Sinaï, un jésuite, le père Delobre — d'autres encore, mon propre père. Des papes ? J'en ai connu plusieurs : Pie XII, Jean XXIII, Paul VI. Je n'ai pas rencontré Jean Paul I$^{er}$, qui est resté trop peu de temps. Celui que j'ai vu le plus souvent, c'est bien sûr Jean Paul II, parce que je suis en situation de pouvoir discuter avec lui.

ELIE WIESEL — La France est un pays de tradition et, en majorité, catholique. Quelle est la nature des relations entre l'Église et l'État ? Sont-ce des relations de conflit ?

FRANÇOIS MITTERRAND — Il y a de petits accès de fièvre quand l'Église se met en tête de récupérer plus que la part dont elle dispose dans l'éducation, lorsqu'elle s'inquiète pour l'enseignement religieux. Si l'on résiste à ce que souhaite l'Église, des tensions apparaissent. Mais c'est finalement assez rare.

ELIE WIESEL — Vous avez dit un jour : « J'ai compris l'injustice en lisant le Sermon sur la montagne. »

FRANÇOIS MITTERRAND — C'est un des plus beaux textes que je connaisse. Songez que le Christ a prononcé ces paroles il y a deux mille ans environ et qu'au fond rien n'a changé ! Le Christ pourrait parfaitement justifier son retour pour prononcer exactement le même discours. Simplement, au lieu d'aller sur la montagne, où l'on risquerait de ne pas l'entendre, il irait à Bobigny.

ELIE WIESEL – Comment croyez-vous qu'il y serait accueilli ?

FRANÇOIS MITTERRAND – Le Préfet, saisi par l'Évêque, risquerait de lui demander d'aller dans la commune voisine...

ELIE WIESEL – Vous posez-vous parfois la question de savoir si Dieu est juste ou s'il est injuste ? N'est-ce pas l'histoire du Grand Inquisiteur de Dostoïevski ?

FRANÇOIS MITTERRAND – J'entends toujours dire que Dieu est juste. Je me demande ce qui permet d'appuyer cette assertion. Vous avez dû remarquer que dans beaucoup de sermons, de discours de circonstance prononcés à l'occasion d'un décès ou à la suite d'un grave événement, l'orateur postule que Dieu est juste – et même bon. Il me semble difficile d'harmoniser ce postulat et les catastrophes qui l'accompagnent...

ELIE WIESEL – D'habitude, ceux qui prononcent les oraisons funèbres ne le font pas pour les morts, mais pour les survivants, pour consoler, pour apaiser.

FRANÇOIS MITTERRAND – Il y a ce que j'ai appris, ce que je souhaite croire. Et il y a ce que je vois et ce que je sais. Et rien ne me démontre l'existence d'une justice supérieure.

ELIE WIESEL – Justice aux yeux de Dieu, non aux yeux des hommes. Chaque fois que je me pose ces questions-là, je parviens à la conclusion que je ne comprends pas.

FRANÇOIS MITTERRAND – Je ne la comprends pas plus que vous. Je ne dis pas que Dieu soit injuste, je dis : « Je ne sais pas s'il est juste. » Je considère que l'ordre du monde, ou son désordre, comme on voudra, n'obéit à aucune loi de justice, du moins selon les normes qui sont les nôtres.

ELIE WIESEL – Que serait la justice, selon vous ?

FRANÇOIS MITTERRAND – Que les actes généreux suscitent admiration et émulation et que les actes cruels soient reconnus comme tels. Or, je ne vois nulle part, dans la vie ordinaire, de différences dans les conséquences des actes. Peut-être y a-t-il dans la conscience de celui qui les accomplit plus d'allégresse d'un côté, et de tristesse de l'autre à l'idée de ne pas agir comme il sent qu'il conviendrait d'agir ? C'est possible. Cela s'appelle la conscience morale. Tout le monde ne l'a pas, et on ne l'a pas toujours soi-même.

ELIE WIESEL – Si quelqu'un est puni, il n'est pas seul à subir un châtiment. Ses enfants, sa famille le subissent aussi. On ne souffre pas seul, on souffre toujours avec ceux qui souffrent à cause de votre souffrance. Pour revenir à l'injustice, je vous connais assez pour savoir que vous essayez de la corriger...

FRANÇOIS MITTERRAND — C'est certainement le réflexe et la réflexion qui inspirent le plus mon action. Je ne supporte pas l'injustice. Je suis très imparfait, mais de cela j'ai une conscience claire.

ELIE WIESEL — Finalement, ce qui reste d'un homme, n'est-ce pas le combat qu'il a mené contre l'injustice ?

FRANÇOIS MITTERRAND — C'est assurément l'un des plus beaux combats. Il a justifié mon choix politique et je continue à penser que j'ai eu raison. À ce sentiment d'injustice qui me poussait à agir s'est ajoutée, au fil du temps, une volonté d'explication. Car le sentiment d'injustice ne suffit pas pour combattre l'injustice. Organiser la société en corrigeant ses injustices exige une démarche quasiment scientifique, une analyse de la société. Pourquoi ces injustices ? Elles sont généralement dues aux luttes des classes, aux formes que revêt l'exploitation de l'homme par l'homme et au goût de chacun pour le pouvoir. Bref, à cette loi de la jungle qui fait que chacun a besoin de manger l'autre pour survivre.

ELIE WIESEL — Avez-vous déjà été injuste envers une personne ?

FRANÇOIS MITTERRAND – Oui, sans doute. J'ai dû commettre des injustices, mais jamais je ne l'ai fait consciemment. Par mouvement d'humeur ou parce que je n'avais pas assez réfléchi aux conséquences de mes décisions.

ELIE WIESEL – Que faites-vous en pareil cas ?

FRANÇOIS MITTERRAND – J'essaie de réparer mon injustice. Et lorsque ce n'est pas possible, j'en suis malheureux quelque temps.

ELIE WIESEL – Pour moi, la pire des injustices, c'est l'humiliation. Au niveau qui est le mien, quand je vois quelqu'un humilié, j'éprouve le besoin de protester, d'agir.

FRANÇOIS MITTERRAND – Je ressens cela aussi. Il m'est sans doute arrivé d'humilier des gens ; ils me pardonneront lorsqu'ils comprendront que je ne l'ai pas voulu. Quoi qu'il en soit, humilier implique un manque de contrôle de soi, un manque d'éducation.

ELIE WIESEL – Avez-vous, un jour, été humilié ? Pendant la guerre, quand vous avez été fait prisonnier, vous êtes-vous senti humilié d'avoir perdu ?

FRANÇOIS MITTERRAND – Pas du tout. Je n'ai pas ressenti d'humiliation personnelle. Mais une colère, oui, je participais d'une colère collective, du sentiment d'un abaissement national.

ELIE WIESEL – Au fond de vous-même, vous vous battiez encore.

FRANÇOIS MITTERRAND – Oui. Je n'ai jamais pensé que la guerre était perdue. Je vous livre cela comme une vague impression que j'avais, ce n'était pas une analyse historique. Je pensais simplement que demain corrigerait hier.

ELIE WIESEL – Cela s'applique donc, selon vous, au Christ ? Il vit dans le présent mais meurt dans l'intemporel ?

FRANÇOIS MITTERRAND – Dans l'affaire de la condamnation à mort et de la crucifixion du Christ, il y a des explications propres à la situation locale.

ELIE WIESEL – Les Romains étaient responsables ?

FRANÇOIS MITTERRAND – Non ils sont restés en dehors du coup. Cette affaire concernait essentiellement les Juifs et l'éternelle lutte entre l'orthodoxie consacrée par le dogme et la hiérarchie, et ce qu'on appelle hérésie – une différence par rapport à la coutume.

ELIE WIESEL – Chez les Grecs, l'hérésie signifiait doute, et plus tard était passible de la peine capitale.

FRANÇOIS MITTERRAND – Je n'en ai en tout cas jamais rien lu qui m'apprenne autre chose, y compris chez Renan.

ELIE WIESEL – Mais Renan ne fait pas autorité sur les affaires juives.

FRANÇOIS MITTERRAND – Il voyait les Juifs comme une tribu arabe... Je vois que cela ne vous fait pas plaisir. Pourquoi ? Renan a beaucoup fait avancer le débat. D'autre part, les incroyants ont raconté cette histoire et l'ont interprétée comme je le fais moi-même : le Christ dérangeait la hiérarchie dirigeante du judaïsme. Il s'est produit ce qui inspirera, du IIIᵉ au XVIIIᵉ siècle, dans nos pays, la conduite de l'Église à l'égard de ses propres hérétiques. Songez qu'au XVIIIᵉ siècle, on condamna à mort, puis on exécuta un garçon de dix-neuf ans, le chevalier Jean-François Lefebvre de la Barre. Il était supposé ne pas avoir levé son chapeau et avoir eu un sourire sarcastique au passage du saint sacrement. Comme, de plus, on avait vu une croix brisée sur un pont et entendu une bande de jeunes chanter des chansons légères, on coupa la langue de ce malheureux, on le tondit... et on le décapita. Mais cela ne suffit pas à condamner l'Église ; je suis d'ailleurs sûr que beaucoup de prêtres se désolent, encore aujourd'hui, de ce crime. La faute en incombe aux hiérarchies, qui poussent à l'extrême le souci de leur dogme. Ce qui fait qu'il me semble compréhensible de dire que le Christ embarrassait la hiérarchie juive. Par la suite, beaucoup d'autres chrétiens ont été tués pour la même raison. Tel a été le cas de Jacques, de Philippe, d'Étienne, qui étaient des éléments de trouble pour les Juifs orthodoxes.

ELIE WIESEL – Tout de même, Jérémie a dérangé le roi beaucoup plus que le Christ. On ne l'a pas condamné à mort pour autant.

FRANÇOIS MITTERRAND – De tous les prophètes, Jérémie est celui pour lequel j'ai le plus d'antipathie. C'est un criard, un gueulard, un peu collaborateur, ambitieux. D'où ma surprise quand mes amis appellent leurs enfants Jérémie. Même si, phonétiquement, c'est un beau prénom.

ELIE WIESEL – Je ne suis pas d'accord avec vous. Vous êtes injuste envers Jérémie. Celui-ci ne voulait pas être roi. Il ne voulait pas même être prophète, le pauvre. Moi, je le plains. Et il s'exprimait dans une langue si belle, presque aussi belle que celle d'Isaïe. J'essaierai plus tard de réhabiliter Jérémie à vos yeux. Mais je voudrais revenir à Dostoïevski. Il écrivait : « Si Dieu n'existe pas, alors tout est permis. » Pensez-vous que cette proposition soit valable ?

FRANÇOIS MITTERRAND – Non, ce n'est pas juste. Dieu est certainement d'un bon secours pour conduire sa vie ; et même sans ce secours, Dostoïevski a tort.

ELIE WIESEL – Ce qui me gêne, dans le cas de Dostoïevski, c'est que l'on trouve Dieu partout, du côté des vainqueurs et du côté des vaincus, du côté de ceux qui souffrent et du côté de ceux qui font souffrir. Pensez que des prêtres bénissaient les armées avant qu'elles ne s'entre-tuent ; ce n'était quand même pas pour prouver que la terre ne tourne pas autour du soleil ! Cela dit, nous pourrions supposer que la foi doit être, pour ceux qui en ont besoin en tout cas, un remède contre l'absurdité.

FRANÇOIS MITTERRAND – Je ne suis pas de ceux qui disent que la foi est absurde ; ce serait aller bien loin dans l'affirmation d'une contre-foi.

ELIE WIESEL – L'absurde fait peur.

FRANÇOIS MITTERRAND – Mais il faudrait vraiment beaucoup de vanité pour prétendre conduire toute sa vie en ne comptant que sur ses propres forces. Et puis, quelle espérance ! La transcendance est une formidable porteuse d'espérance.

ELIE WIESEL – Justement, avez-vous prié quand vous étiez jeune ?

FRANÇOIS MITTERRAND — Oui, naturellement. Sincèrement, profondément.

ELIE WIESEL — En ressentez-vous parfois encore le besoin ?

FRANÇOIS MITTERRAND — Cela m'arrive. Mais à ma manière. Je ne me réfère à rien de particulier. Ce n'est pas une allégeance. Je crois que l'on a besoin de prier, c'est-à-dire de rechercher une communication par la pensée. Une des belles choses de la religion catholique, c'est la communion des Saints, qui est au fond la communauté de la prière et qui rejoint les pratiques ésotériques. Le fait de prier ici tandis qu'au même moment, à mille kilomètres, quelqu'un d'autre exprime la même prière, le fait qu'il en soit ainsi sur la planète entière est censé établir une communication entre tous ces gens. Quand je vois, au risque d'être simpliste, la manière dont les ondes portent le son et l'image, pourquoi ne porteraient-elles pas également une très grande intensité de pensée ? Cela ne me paraît pas absurde ; en tout cas, c'est une belle image. Honnêtement, s'il m'arrive de prier, non dans le sens étroit du terme, mais dans son vrai sens, je ne me pose pas en homme plus détaché de son sort qu'il ne l'est.

ELIE WIESEL — Quand avez-vous prié pour la dernière fois ?

FRANÇOIS MITTERRAND — Je ne saurais vous dire. Tout dépend du sens que l'on donne à la prière. S'il s'agit de diriger sa pensée vers une force supérieure et, au fond, inconnue, cela m'arrive souvent. Cela n'est peut-être pas très raisonnable, mais l'éducation que j'ai reçue et ma propre nature m'y portent, c'est tout. Mais ma raison m'invite très vite à interrompre ce dialogue, qui n'est peut-être qu'un monologue...

ELIE WIESEL — Dieu a-t-il besoin de prières ?

FRANÇOIS MITTERRAND — Vous parlez comme un croyant !

ELIE WIESEL — Oui, je me situe à l'intérieur de la foi.

FRANÇOIS MITTERRAND — Je ne réagis pas comme vous. S'il s'agit de réciter des mots appris pour implorer une intervention divine, communiquer avec un monde transcendant, alors oui, il m'arrive de prier, je répète ces mots, par habitude, par éducation, parfois même par besoin. Mais je ne prie pas en homme de foi, avec le sentiment de communiquer, et d'être entendu.

ELIE WIESEL — Traditionnellement, on distingue deux sortes de prières : de sollicitation ou de gratitude. Encore faut-il être croyant.

FRANÇOIS MITTERRAND – On a tendance à demander protection dans les moments difficiles et à oublier de remercier lorsque l'on est heureux. Tout cela me paraît donc suspect.

ELIE WIESEL – Mais quand on vous a annoncé votre maladie, lorsque vous êtes entré dans le bloc opératoire, avez-vous prié ?

FRANÇOIS MITTERRAND – Je ne suis pas plus courageux qu'un autre ! Je savais que c'était grave, que cela pouvait être mortel ; mais, au fond, je n'y croyais pas. Au moment d'être opéré, j'étais d'une sérénité passive : je me suis fait objet. Il arrive un moment, comme dans les accidents, où l'on se regarde comme si l'on n'était pas soi-même l'acteur principal du drame qui se joue.

ELIE WIESEL – Je vous ai vu le 10 septembre 1992, donc la veille de votre première opération. Quand j'y pense rétrospectivement, je suis sidéré : vous aviez l'air si détaché ! Jamais je n'aurais pu imaginer...

FRANÇOIS MITTERRAND – Je ne suis pas porté à la confidence. De plus, je considérais, même si cela m'importait personnellement, qu'il m'arrivait une chose banale, anodine. Certes, cela ne me faisait pas plaisir. Je n'aime pas la souffrance, je détourne la tête quand on me fait une piqûre ou une prise de sang – c'est vous dire que je ne fréquente pas l'héroïsme chaque matin en me levant ! Mais une fois que c'est fait, je supporte. Je suis un patient résigné. Le mal que l'on imagine est insupportable, celui que l'on subit est presque toujours supportable.

ELIE WIESEL – Ceux que l'on a torturés le disent, en effet : l'anticipation de la torture est pire que la torture elle-même. Cela m'a toujours fait peur. Je ne sais pas si je pourrais subir la torture en silence...

FRANÇOIS MITTERRAND – Les gens de notre génération se sont tous posés la question, et personne n'aurait eu l'audace de dire : « Je tiendrai. »

ELIE WIESEL – Dans un entretien que vous avez accordé au sujet de votre maladie, vous citez Arthur Ashe. Vous dites que lorsque vous avez appris votre maladie, vous avez pensé : « Pourquoi moi ? » C'est une belle réflexion. Quand on m'a annoncé, un matin, que j'avais le prix Nobel de la paix, je m'en souviens, je me suis immédiatement posé la même question : « Pourquoi moi ? » Et cela m'a perturbé toute la journée. « Pourquoi moi ? » Étais-je plus méritant, plus juste que d'autres ? Sûrement non. Je pensais à Buchenwald. Début avril. Les Allemands avaient commencé à évacuer

85

le camp. Plus d'une fois je m'étais trouvé à un pas de la grande porte en fer. Au-delà, c'était le voyage vers la mort. Mais le quota avait été rempli. Qui était celui qui avait franchi la porte avant moi, donc peut-être à ma place ? Voilà à quoi, voilà à qui je songeais le jour de la cérémonie du prix Nobel...

FRANÇOIS MITTERRAND – Vous pouvez attribuer cela au hasard. La vie est un formidable jeu de loterie. Pourquoi un numéro sort-il plutôt qu'un autre ?

ELIE WIESEL – Connaissez-vous Níkos Kazantzákis ? L'auteur de *Zorba le Grec*, du *Christ recrucifié*. Eh bien, il cite un très beau proverbe étrusque : « Ce n'est pas parce que deux nuages se rencontrent que l'étincelle jaillit ; deux nuages se rencontrent pour que l'étincelle jaillisse. » Moi, je crois que le mystère est dans la rencontre. Votre intérêt pour le peuple juif m'émeut.

FRANÇOIS MITTERRAND – L'histoire du peuple juif, son message également, s'imposent à nous. Mais n'exagérons pas mon rôle. Je me comporte à l'égard de ce peuple comme je crois qu'il est utile, honnête et juste de se conduire : en contribuant à lui rendre justice. Sans plus. Personnellement, j'y vois des sources très importantes pour moi. Son histoire n'a-t-elle pas inspiré le type de civilisation dans laquelle je vis ? Et quel homme n'aimerait pas remonter à ses sources ?

ELIE WIESEL – De tous les peuples de l'Antiquité, le peuple juif est le seul qui ait survécu. Comment l'expliquez-vous ?

FRANÇOIS MITTERRAND – Vous oubliez la Chine et l'Inde. Mais si vous restreignez l'Antiquité à la Grèce et à la Perse, vous avez raison. Comment expliquer que le peuple juif ait survécu ? Sans doute parce qu'il constituait une petite minorité. Les grands empires, les grands ensembles ne reposent pas sur une véritable identité. Je pense que les méthodes employées par les inspirateurs, ceux qui ont le mieux exprimé l'âme de ce peuple, ont été beaucoup plus réalistes. Prenez la Bible. C'est le livre de raison d'un peuple et non pas simplement d'un individu ou d'une famille. Il se trouve que le peuple juif a vécu autour d'une religion qui, elle-même, a inspiré des religions monothéistes inscrites dans notre présent, et que ce type d'enseignement s'est perpétué avec beaucoup de persévérance dans les familles juives, d'autant plus fortement, d'ailleurs, qu'il y a eu la diaspora et que c'était une façon de se raccrocher à son passé. Bien entendu, un croyant dans le Dieu d'Israël ajoutera que son peuple est élu et que Dieu y a veillé.

ELIE WIESEL – Vocation et mission collectives...

FRANÇOIS MITTERRAND – C'est une explication théologique, mais il en existe d'autres. Personnellement, je ne la reprends pas à mon compte. Je crois qu'il est plus facile à un peuple persécuté de survivre quand il ne comporte qu'un petit nombre d'individus. Il y a d'abord eu la période de l'installation sur une terre étrangère qui, en somme, vous a été désignée. Ce n'est que plus tard qu'un État se constituera – et même deux royaumes, quoique l'un des deux ait assez vite disparu. Quant à l'autre, il sera, tout en continuant à exister, sous influence, assujetti à l'égard de la Syrie. Malgré les déportations, les dispersions, le peuple juif est demeuré. Sa faculté de résistance, rudement éprouvée, a forgé son âme.

Elie Wiesel – J'ai toujours été étonné qu'un peuple si petit, sans aspiration territoriale autre que la sienne, ait survécu.

François Mitterrand – C'est la raison pour laquelle, chaque fois que j'ai vu Israël sortir de ses frontières naturelles, historiques, que ce soit sur le Golan, le Sinaï ou au Liban, j'ai pensé qu'il faisait fausse route, qu'il commettait une faute historique. Il est vrai que la situation de l'Israël moderne est ambiguë : la plupart des terres où se trouve Israël appartiennent bien à l'histoire juive ; mais la société internationale ne reconnaît pas le cœur de son histoire : Jérusalem, le royaume de

Judée, une bonne partie de l'ancien royaume d'Israël.

ELIE WIESEL – Vous avez presque justifié certains choix qu'Israël avait faits sans outrepasser ses frontières bibliques.

FRANÇOIS MITTERRAND – Je crois même avoir rappelé les deux seuls passages de la Bible qui semblent extrapoler, dans des paroles prêtées à Dieu, la notion de grand Israël.

ELIE WIESEL – Autrement dit, vous comprenez Israël historiquement.

FRANÇOIS MITTERRAND – Oui, mais je comprends également son embarras dans sa revendication historique. Car, au cours des derniers siècles, les Arabes se sont installés là et s'y sont ancrés, en ont fait leur patrie. D'où la situation incroyablement confuse où nous nous trouvons aujourd'hui : deux prophètes, deux religions, deux patries, et une seule terre.

ELIE WIESEL – Depuis longtemps, vous dites qu'il convient de reconnaître aux Palestiniens une patrie ; mais comment faire ? C'est un terrain miné. Mais il y a une telle espérance liée à tant de détresse que cela fait peur. On dirait une maladie incurable. Comme il existe, aux yeux des méde-

cins, des maladies incurables, ce doit en être une
aux yeux des hommes d'État. Entre Israéliens et
Arabes, il ne me semble pas que ce problème
puisse être facilement résolu, même si, aujour-
d'hui, un accord a été signé.

François Mitterrand — Deux peuples, une seule
terre : il faudrait avoir beaucoup d'imagination
pour arriver à dessiner les structures d'une sorte
de fédération. Je me souviens d'avoir recom-
mandé ce qui se passe aujourd'hui. Je n'en tire
pas avantage, mais enfin je suis heureux de
l'avoir dit assez tôt pour me sentir maintenant
en harmonie avec ce qui suit. Yasser Arafat est
venu me voir deux fois. Une fois je l'ai reçu en
tant que chef de l'OLP, une autre fois parce que
l'ancien président des États-Unis, Jimmy Carter,
à la tête d'une mission comportant deux vice-
présidents, dont Arafat, m'a demandé rendez-
vous. Un jour, alors que nous discutions vous et
moi de Yasser Arafat, nous avons parlé de la
confiance placée en cet homme. Mais il ne s'agit
pas de confiance, il s'agit d'évidence. On traite
avec ceux qui vous combattent. Il ne faut pas
jouer avec l'Histoire ; et Israël, en voulant des
interlocuteurs de sa fabrication ou de son agrément, commettait une erreur. Qu'Israël ait des
reproches à faire à son adversaire, cela va de soi,

sinon ce ne serait pas un adversaire. Le terrorisme est tragique et inexcusable, mais la force
politique réelle, c'était celle de l'OLP, seule repré-
sentation militaire d'un pays, d'un peuple au
combat et d'un peuple sans patrie. Nous devions
avoir conscience qu'il fallait en passer par là.

ELIE WIESEL – Sans doute, mais vous savez certainement que pendant que vous parliez avec Yasser
Arafat, ici dans ce bureau, dehors Farouk
Kadoumi faisait savoir à vos conseillers que ce que
le « vieux » pouvait dire ne valait rien, parce
qu'eux – disait-il – voulaient tout, c'est-à-dire tout
Israël.

FRANÇOIS MITTERRAND – Tout mouvement
comporte ses intégristes. L'accord entre Israël et
l'OLP se trouve d'ailleurs aujourd'hui en butte,
dans les deux camps, à des extrémismes dangereux.
Mais j'espère qu'ils arriveront à la paix. J'ai toujours dit que l'on ne pouvait pas exiger des Palestiniens qu'ils soient privés de patrie. Alors ce bout
de terre, Gaza, Jéricho, possède une force symbolique formidable.

ELIE WIESEL – Et la formule, c'est « Gaza et Jéricho
d'abord » ?

FRANÇOIS MITTERRAND – Dans l'esprit des négocia-
teurs, forcément. L'un dit : « Cela suffira comme

91

cela », et l'autre dit : « Cela ne me suffit pas. » Une nouvelle dialectique commence.

ELIE WIESEL – Vous aimez Israël, vous aimez cette terre. Vous en parlez toujours avec beaucoup d'émotion.

FRANÇOIS MITTERRAND – Jusqu'à ce que je m'y rende, en 1980, Jérusalem était, à mes yeux, une terre mythique. Alors, la toucher, voir des Juifs vivre sur ces terres si anciennes me procura en effet une très grande émotion. Pour moi, qui m'intéresse à ce passé, c'était une projection formidable.

ELIE WIESEL – Aimeriez-vous partir un jour à Jérusalem pour y vivre et y écrire ?

FRANÇOIS MITTERRAND – Oui, j'aimerais écrire là-bas. Ce lieu éveille en moi toute une série d'aspirations. Ce n'est pas le seul, bien entendu, mais c'est peut-être celui qui concentre le plus d'éléments spirituels, intellectuels, historiques et politiques. Cela m'intéresserait donc, une fois que je serai libre de toute obligation, de flâner là-bas, de songer, de visiter les hauts lieux, de rencontrer quelques personnalités parmi les intellectuels et les religieux.

ELIE WIESEL – Un photographe m'a dit un jour qu'il éprouvait des difficultés à photographier

Jérusalem. À cause de la lumière. Il m'a expliqué que le « lux » est la mesure de la lumière et que l'une des plus belles est la lumière de Provence, avec seize lux, ensuite, il y a celle du Tibet, vingt-quatre lux... À Jérusalem, la lumière fait trente-six lux ; c'est, physiquement, le lieu le plus lumineux du monde !

FRANÇOIS MITTERRAND — Dans cette région, et pas seulement à Jérusalem, tout est intense. Vous parlez, vous, d'Israël, mais remarquez qu'à travers les siècles tous les peuples de cette région ont été brûlés par la foi. Les guerres civiles y sont toujours des guerres religieuses. D'un village à l'autre du Liban, on s'entre-tue depuis des siècles à cause de choix religieux à l'intérieur de chaque religion. Combien y a-t-il de cultes chrétiens au Liban ? Six, sept, huit ? Et combien du côté musulman ? À peu près autant. Et à l'intérieur de ces religions, on se combat avec autant de dureté qu'entre les deux religions. Pourtant, chacun est, depuis toujours, animé par la même vitalité, comme si la passion religieuse les brûlait, comme si chaque pierre de cette région était composée d'atomes explosifs de caractère religieux. C'est une terre brûlée par la passion.

ELIE WIESEL — Avez-vous connu les grands chefs d'Israël ? Ben Gourion, Golda Meir, Begin, Moshe Dayan...

93

FRANÇOIS MITTERRAND – Je n'ai pas connu Ben Gourion. En revanche, j'ai eu un contact très chaleureux avec Golda Meir. Je suis allé la voir assez souvent en Israël avant d'être élu président de la République ; elle est passée à Paris ; nous avons également eu des échanges de correspondance. Je lui ai servi d'intermédiaire pour que les Juifs d'Union soviétique puissent émigrer. Il fallait agir discrètement ; les conditions étaient difficiles ; parfois nous avons réussi. J'ai aussi beaucoup vu Begin avant qu'il soit Premier ministre. Je l'estimais. Mais je crois qu'avec la guerre du Liban il a commis une faute. Quant à Moshe Dayan, oui, je l'ai très bien connu. Si je me trouvais à Jérusalem, qu'il fût au pouvoir ou non, je lui rendrais visite. Tous, donc, je les ai connus personnellement, y compris Igal Alon, un homme au caractère noble.

ELIE WIESEL – On parle de mystère juif ; croyez-vous au mystère de l'existence juive ?

FRANÇOIS MITTERRAND – Je ne vois pas où est le mystère. Il s'agit plutôt d'une exception, d'un exemple d'extraordinaire vitalité. Une petite tribu est sortie du monde mésopotamien, il y a trois mille cinq cents ou quatre mille ans ; un homme à l'esprit puissant, comme Abraham, a rencontré Dieu et y a cru ; depuis, cela dure.

Elie Wiesel — Nous aurions pu disparaître. Je me suis même parfois demandé pourquoi, à un certain moment, il n'y avait pas eu une sorte de concile au cours duquel nos grands sages auraient dit à Dieu : « Écoute-nous, Dieu, ou bien tu veux notre présence, ou bien tu ne la veux pas ; laisse-nous tranquilles un tout petit peu, laisse-nous vivre en paix ; sinon, c'est que tu veux un monde sans Juifs. »

François Mitterrand — Si on s'en tient à l'explication de la Bible, Dieu a autant besoin du peuple juif que celui-ci a besoin de Dieu. Si le peuple juif disparaît, il joue un bien mauvais tour à Dieu. En somme, il tient Dieu.

Elie Wiesel — Sans pour autant le connaître, vous dites presque mot à mot ce que dit le Talmud. Dans la Bible, on trouve un verset qui dit : « Dieu dit aux Juifs : " Vous êtes mes témoins. " » Le Talmud ajoute : « Et Dieu dit : " Si vous êtes mes témoins, je suis Dieu ; si vous n'êtes pas mes témoins, je ne suis pas Dieu. " » Tout à l'heure, vous avez eu des mots très durs sur Jérémie. Pouvez-vous m'expliquer pourquoi ?

François Mitterrand — Comme je vous l'ai dit, c'est un personnage antipathique, très ambitieux et ambigu dans ses relations avec les Assyriens.

ELIE WIESEL – Mais il est également le seul personnage biblique à avoir prévu une catastrophe (la destruction du premier temple, en 586 avant notre ère) et à y avoir survécu pour la décrire. Et au lieu de se rendre en Assyrie après la catastrophe, c'est-à-dire chez les Babyloniens, qui l'auraient célébré puisqu'il avait, comme vous dites, presque collaboré avec eux, il est allé en Égypte avec les exilés juifs. Il m'apparaît plutôt comme le prophète le plus tragique de l'histoire juive. Et ses écrits sont d'une beauté lyrique presque inégalée dans la Bible.

FRANÇOIS MITTERRAND – Jérémie était un hurleur. À cette époque, on commençait à adopter le ton apocalyptique. Qu'il ait annoncé le drame de la destruction du temple n'est peut-être pas une anticipation aussi surprenante que vous le pensez : il était visible qu'on allait vers la décadence. Non, vous avez beau dire, je n'aime pas Jérémie. Je préfère Isaïe : son enseignement est lumineux.

ELIE WIESEL – On l'appelle le Prince des Prophètes. D'abord parce qu'il est issu d'une lignée royale ; ensuite à cause de sa langue, une langue princière. Quel est le personnage vis-à-vis duquel vous vous sentez le plus proche ?

FRANÇOIS MITTERRAND – Difficile de vous répondre, parce que la Genèse est à la fois historique et légendaire. David est trop complexe ; ce n'est pas un modèle. Saül, peut-être...

ELIE WIESEL – Il ne voulait pas être roi ; on l'a forcé ; il a fini par se suicider. En quelque sorte, c'est une victime de Dieu. J'éprouve une sympathie très profonde pour lui.

FRANÇOIS MITTERRAND – Sans doute est-on porté à une certaine sympathie pour le malheur. Le roi Yanaï me semble aussi être un personnage intéressant.

ELIE WIESEL – Et Hérode ?

FRANÇOIS MITTERRAND – Peut-on, même s'il fut un grand roi, l'identifier à l'histoire juive ? Je ne crois pas. Il n'était pas juif.

ELIE WIESEL – Descendant des Édomites, c'était un homme violent. Trop de gens sont morts à cause de lui. Vous connaissez à fond l'histoire juive.

FRANÇOIS MITTERRAND – La Bible m'intéresse. C'est un livre effrayant, plein de massacres et sans pitié. Les mœurs de ce temps-là y sont sans doute pour quelque chose. Mais quelle force et quelle poésie.

ELIE WIESEL – C'était le temps de la conquête du pays. Moi qui adore réhabiliter nos ancêtres, je me souviens avoir cherché un passage qui donnerait un peu de chaleur humaine au personnage de Josué. Je l'ai trouvé à la fin : ayant conquis le pays, installé en Israël, sur sa terre, il est mort en solitaire et personne n'a assisté à ses funérailles.

FRANÇOIS MITTERRAND – Il a été disgracié. Finalement, celui que je trouve le plus intéressant, le plus attractif – pardonnez-moi d'être banal –, c'est tout de même Moïse.

ELIE WIESEL – Disgracié, Josué ? Non, pour nous il incarne la fidélité totale à Moïse ; il ne l'a jamais quitté. Quant à celui-ci, il y a dans *Ulysse*, de James Joyce, un passage étonnant ; c'est celui où Ulysse, prince d'Égypte, décide de quitter le palais pour se joindre à son peuple. Au moment des adieux, il rencontre le grand prêtre qui lui dit : « Moïse, tu es fou ! Tu étais prince d'Égypte ; maintenant l'Égypte sera la nation la plus puissante sur terre ; votre monnaie est forte parce que le commerce est florissant, votre marine excelle partout dans le monde ; et toi, tu nous quittes... Pourquoi ? Pour rejoindre un peuple pauvre dont les dieux ne sont même pas visibles ! » Souvent, quand j'y pense, je me dis que la logique du grand prêtre tenait debout.

FRANÇOIS MITTERRAND – Moïse a été un grand homme et non un simple prince justement parce qu'il n'a pas obéi à cette logique-là.

ELIE WIESEL – Vous savez, d'après notre tradition, Moïse est le nom que lui donna Batya, la fille de Pharaon. En fait, Moïse avait sept noms ; mais le seul qui soit resté, c'est celui donné par Batya. Le Talmud nous explique que c'est par gratitude – une vertu juive très profonde, ancrée dans notre mémoire – que nous avons gardé ce nom. Mais puisque nous parlons de la Bible, pouvons-nous maintenant évoquer le combat de Jacob avec l'Ange ?

FRANÇOIS MITTERRAND – C'est un épisode très difficile à comprendre symboliquement.

ELIE WIESEL – L'Ange, c'était le souverain ennemi.

FRANÇOIS MITTERRAND – Si j'en crois mes lectures, les anges sont une invention récente, faite environ un siècle avant Jésus-Christ, que l'Église chrétienne a reprise à son compte et que certaines hérésies chrétiennes, avec encore plus de force imaginative, ont également reprise. Ce qui me paraît bizarre, c'est que l'on ait collé un Ange à Jacob après coup.

ELIE WIESEL – Le terme figure dans la Bible.

FRANÇOIS MITTERRAND – La Bible est un mélange très complexe ; il est très difficile, quand on n'est pas un savant, de distinguer le texte original des extrapolations. L'Ange a-t-il été ajouté un siècle avant Jésus-Christ, ou bien beaucoup plus tôt, par les docteurs de la loi ? Je n'en sais rien.

ELIE WIESEL — L'Ange était là ; l'interprétation a été ajoutée. Le terme biblique est *malakh*, qui veut dire « messager ». Lorsque Jacob a combattu l'Ange, c'était le messager de Dieu qu'il combattait.

FRANÇOIS MITTERRAND — Mais pourquoi ?

ELIE WIESEL — Peut-être pour devenir Israël... En tout cas, c'est une des pages les plus obscures de la Bible. Mais aujourd'hui, Israël est un phénomène politique qui me remplit d'angoisse : où trouver l'espoir ?

FRANÇOIS MITTERRAND — Il appartient aux dirigeants de ce pays de chercher, au milieu d'immenses périls, la meilleure voie. D'une part, les plus anciennes terres juives sont actuellement peuplées par une minorité de Juifs ; d'autre part, il existe des tentations de certains en Israël de s'emparer de terres qui ne correspondent pas à l'histoire juive. La confusion règne. Il y a une solution pour résoudre ce problème, mais je ne l'exprimerai pas : ce serait de ma part faire preuve d'une grande prétention. Je pense que, de part et d'autre, il faut se défaire de l'esprit de domination. Certes, il convient d'être intransigeant sur son droit à vivre sur cette terre-là ; mais il faut également être plus souple, plus humble et ne pas transformer l'amour de sa patrie en instinct de domination. La difficulté, c'est que les dirigeants politiques et même les peuples associent instinct de domination et instinct de survie. Dans la relation entre les Juifs et les Arabes, à l'intérieur d'Israël ou dans les territoires de la Cisjordanie, ce problème se pose tous les jours. Je pense que, dans le cas de la Cisjordanie, les Palestiniens ont le droit de vivre en communauté nationale ; cependant, ils ne peuvent dénier au peuple israélien, au peuple juif, ses lettres de noblesse.

ELIE WIESEL – Monsieur le Président, beaucoup de gens connaissent notre amitié. À la suite des révélations contenues dans plusieurs livres parus au cours de l'automne 1994, ils m'ont assailli de questions sur vos relations avec René Bousquet. Ces révélations ont en effet provoqué plus que de l'incertitude – de l'angoisse.

Secrétaire général de la police du gouvernement de Vichy, René Bousquet a été l'interlocuteur privilégié des responsables de la police allemande en France sous l'Occupation, les tristes Knochen et Oberg. Il a été, sinon l'inspirateur, du moins l'organisateur des rafles antijuives, l'animateur d'une police française alors trop largement dévoyée, le pourvoyeur des camps de la mort. Cela me trouble d'autant plus que je connais votre passé de résistant, votre courage attesté par votre action clandestine, votre attachement à la survie d'Israël et du peuple juif.

Alors, tous ces gens ne comprendraient pas que je ne vous pose pas clairement et franchement ces questions. Pour que ceux qui vous aiment, ceux qui cherchent à vous comprendre, puissent vous retrouver, je voudrais maintenant recueillir de votre bouche des réponses aussi complètes que possible.

Étiez-vous au contact de René Bousquet pendant la guerre, après votre arrivée à Vichy ? Si oui, quelle était la nature de vos relations avec lui ? Étaient-elles commandées par les impératifs de votre action au service de la Résistance ? Est-ce la raison pour laquelle vous avez maintenu des liens avec plusieurs des plus proches collaborateurs de René Bousquet, dont certains, une dizaine d'années après la guerre, sont devenus les vôtres, à votre propre cabinet, au ministère de l'Intérieur ?

FRANÇOIS MITTERRAND – Je vous réponds parce que c'est vous. Autrement je n'ai pas de compte à rendre à ces gens qui s'érigent en juges on ne sait trop pourquoi. Je n'ai pas connu René Bousquet pendant la guerre. En revanche, j'ai été en 1942, 1943, 1944 en relation avec un fonctionnaire, un sous-préfet, Jean-Paul Martin, qui n'était pas l'un de ses collaborateurs, comme vous dites, mais celui du directeur général de la police, qui était lui-même un des subordonnés de Bousquet. C'était une époque extraordinaire, complexe et terriblement dangereuse. Il fallait des faux papiers qui aient l'air de vrais, mieux encore des cachets officiels pour franchir les contrôles, des amis sûrs pour se sortir d'un mauvais pas. Ces amis m'ont aidé dans mon action au service de la Résistance, comme ils en ont aidé d'autres. Vichy n'était pas un bloc, la Résistance intérieure non plus. Entre les deux, en fonction du temps, les frontières étaient parfois poreuses. Le combat contre l'occupant pouvait revêtir des formes diverses. C'est ainsi que Jean-Paul Martin nous a plusieurs fois informés de rafles, de perquisitions prévues pour les heures ou les jours suivants. Il a sauvé des vies. Je lui en suis toujours reconnaissant.

René Bousquet était-il au courant ? Je ne sais. En tout cas, je ne l'ai pas rencontré.

ELIE WIESEL — Si, comme vous me le confirmez après l'avoir indiqué aux différents historiens qui se sont intéressés à cette période, vous n'avez rencontré René Bousquet qu'en 1949, son passé était-il connu de vous ? Dans les grandes fonctions que vous avez occupées tout au long des années cinquante, vous disposiez de tous les moyens d'investigation et d'information.

FRANÇOIS MITTERRAND — Je savais que René Bousquet avait été au gouvernement de Vichy. Qu'il avait été préfet sous la III<sup>e</sup> République. Qu'après avoir quitté son poste à Vichy, il avait été déporté par les Allemands. Là s'arrêtait ma science !

Croyez-vous qu'un ministre, fût-il de l'Intérieur dix ans plus tard, se fasse donner des fiches de police exhaustives sur tous ses visiteurs ? Ce n'est pas comme cela que les choses se passent. C'est une vue de l'esprit. Et puis, n'ayez pas la candeur de penser que les services compétents n'éprouvent pas, dans certains cas, la tentation d'expurger les fiches en question.

Dans les années cinquante, René Bousquet était un homme qui avait été blanchi par la Haute Cour de justice. Je vous rappelle que cette Cour, qui a tout de même décidé de très nombreuses exécutions, l'avait condamné à cinq ans d'indignité nationale, mais l'avait aussitôt relevé de cette indignité pour faits de résistance. Je n'avais pas, moi, à me substituer aux juges ni aux procureurs. J'ajoute qu'au cours des décennies qui ont suivi et jusqu'en 1978, date à laquelle le sinistre Darquier de Pellepoix l'a mis en cause pour sa participation à la rafle du Vel'd'hiv, René Bousquet était un personnage reçu non seulement dans les salons où je n'allais pas, mais membre de nombreux conseils d'administration où je n'étais pas, au sein desquels il siégeait aux côtés de personnalités éminentes qui semblent l'avoir oublié. Il existait un consensus de respectabilité autour de René Bousquet. Il occupait, je crois, le poste de secrétaire général adjoint de la Banque d'Indochine et il participait au conseil de direction du quotidien *La Dépêche du Midi* dans lequel il m'arrivait d'écrire des éditoriaux et dont la réputation républicaine et patriotique n'était plus à faire.

ELIE WIESEL − Vous avez déclaré que, revenant de captivité, vous n'étiez au courant ni de l'existence ni du contenu des lois antijuives, ajoutant − ce qui a blessé beaucoup de vos amis, beaucoup de nos amis − qu'elles ne concernaient au demeurant que les juifs d'origine étrangère. Pourriez-vous préciser ?

Avec le temps, vous avez dû nécessairement avoir connaissance de cette législation, ne serait-ce qu'en croisant des porteurs de l'étoile jaune. Quelles furent alors vos réactions ?

FRANÇOIS MITTERRAND − Il faut que vous compreniez que nous n'avions pas, en captivité, le moyen de suivre les différentes étapes de la législation de Vichy. Nous avions d'autres préoccupations. Et, quant à moi, j'en avais une qui me mobilisait tout entier : m'évader. Et quand j'ai réussi à rentrer en France, je ne me suis pas jeté sur le *Journal officiel.* Et puis j'ai vu des étoiles jaunes. J'ai su le statut des Juifs. Cela a contribué à m'éloigner d'un système qui acceptait ce crime. Et je l'ai combattu. Je suis allé en Angleterre, en Algérie, je suis revenu en France occupée en février 1944 et j'ai appartenu au petit groupe d'hommes chargé, au nom de de Gaulle, de tenir le pouvoir à la libération de Paris. La découverte, à la libération des camps, de l'horreur indicible des persécutions, a enraciné mon attachement à la défense et à la survie d'Israël, mon engagement à ses côtés depuis les débuts de la IV^e République. Vous connaissez mon action pour le droit d'Israël à l'existence et à la paix. Je n'en dirai pas plus.

ELIE WIESEL – Il y a une autre question, la plus importante à mes yeux. Je conçois que l'homme politique écrive parfois droit avec des lignes courbes. Je veux bien imaginer que l'action politique connaisse ses contraintes et ses lois, qui ne sont pas celles de la morale commune. Je peux comprendre, même si cela me fait souffrir, que vous ayez, au long des décennies, entretenu avec René Bousquet des relations qui vous paraissaient nécessaires et utiles au regard de la politique – même si, moralement, je ne peux l'admettre. J'en accepte la nécessité, j'en refuse la légitimité.

Or, dans les différents entretiens que vous avez accordés au cours de l'automne 1994, vous avez semblé réhabiliter René Bousquet, le faire paraître sympathique, compétent, brillant, exceptionnel de carrure et d'allure. Or c'était tout de même l'homme qui a livré aux Allemands de petits enfants juifs qu'ils ne lui demandaient pas ! J'imagine que la politique implique que l'on côtoie le Mal, mais pour l'utiliser à des fins plus hautes ; que l'action commande qu'on mobilise à son service des personnages parfois peu recommandables ou peu fréquentables. Mais de là à oublier son passé, ses complicités avec Vichy, ses photos avec les SS et les officiers supérieurs de la Gestapo ! René Bousquet a failli à l'humanité et à l'honneur. Pourquoi lui faire crédit d'une humanité dont il était exempt ?

FRANÇOIS MITTERRAND – Je n'apprécie pas beaucoup votre image des lignes courbes appliquée à la politique comme si la politique et la morale n'étaient pas faites pour vivre ensemble. De plus votre philippique ne tient aucun compte de la chronologie. En 1949, Bousquet est acquitté par la justice française particulièrement sévère à cette époque. Il exerce ensuite des hautes fonctions reconnues par tous. Je suis moi-même ministre de la IV^e République. Je rencontre René Bousquet comme tout le monde, allais-je dire. Mais rarement. En 1978, il est mis en cause dans l'épouvantable affaire du

Vel'd'hiv par un personnage peu reluisant, Darquier de Pellepoix, réfugié en Espagne. Un homme aussi exigeant que Klarsfeld ne déposera plainte contre lui qu'en 1989. La connaissance des mêmes faits me conduit en 1986 à ne plus voir René Bousquet, qui ne le demande d'ailleurs pas. J'ai dit simplement à plusieurs interlocuteurs, comme je le redis à vous-même aujourd'hui, ce que j'ai pensé de lui en tant qu'homme. Il était effectivement direct, intelligent, et même brillant ; il avait du courage physique : jeune sous-préfet, dans les années trente, il avait, au cours d'inondations dans le Sud-Ouest, sauvé plusieurs personnes d'une noyade certaine. Le président Albert Lebrun l'avait pour cela décoré de la Légion d'honneur. Ses anciens collaborateurs ont gardé de lui le souvenir fidèle. Pourquoi voulez-vous que je vous dise autre chose ? Je ne suis pas homme à renier le jugement que j'ai porté sur d'autres hommes.

Vous dites qu'il incarne le Mal. Mais le Mal ne s'incarne qu'exceptionnellement dans un homme, pas plus que le Bien, d'ailleurs. Les monstres sont aussi rares que les saints.

Que Bousquet ait commis des fautes, je le sais. Que ces fautes aient conduit à des crimes, c'est malheureusement le cas. Que ces crimes aient mérité qu'on recherche sa responsabilité comme auteur ou comme complice, c'était aux juges d'en décider. Que les fautes de René Bousquet l'aient entraîné au-delà du réparable, c'est ce que les découvertes de l'historiographie récente révèlent. Peut-être faisait-il trop fond sur son intelligence ; peut-être pensait-il pouvoir sauver ce qui lui apparaissait pouvoir l'être, aussi horrible que cette comptabilité nous apparaisse aujourd'hui ; il s'est leurré, il s'est fourvoyé. Je ne le réhabilite donc pas, comme vous dites. Je vous dis les choses comme elles sont, comme je les vois.

Je suis d'accord avec vous : la mémoire est un devoir ; et j'ai fait le nécessaire pour entretenir la mémoire des persécutions antisémites et pour rendre justice à ceux qui ont souffert. Mais comprenez ces choses. La France est un pays d'une diversité déconcertante. Ma mission, en tant que président de la République, est de rassembler et de réunir les éléments d'un pays qui, sans un effort constant, tendraient à demeurer épars ; c'est d'exprimer et d'assurer l'unité de ce pays, d'en garantir l'indivisibilité.

Je n'ai jamais fait montre de complaisance envers quiconque en ces domaines, mais je dois veiller à ne pas entretenir les brandons de désunion trop prompts à se rallumer. Depuis un siècle, la France a été déchirée par de multiples guerres civiles latentes ou déclarées : entre les républicains et les monarchistes, entre les dreyfusards et les antidreyfusards, entre l'Église et l'État ; la question sociale avant la guerre, l'invasion et l'occupation de la France, la décolonisation, autant de sujets de passions et, je dirais, de partition entre Français. J'ai à les pacifier. Et je n'ai pas souhaité, en effet, qu'on réinstruisît les procès déjà jugés.

ELIE WIESEL – Je pense, moi, que le regard que vous portez aujourd'hui sur votre passé est au moins aussi important que votre passé lui-même. Lors de notre dernière rencontre, vous m'avez confié que vous pensiez avoir peut-être, au cours de cette période, manqué d'un peu de vigilance. Est-ce l'expression d'un regret, voire même d'un remords ?

FRANÇOIS MITTERRAND – Sur le terrain où vous vous placez, l'affaire Bousquet, je n'ai aucun regret ni remords à avoir. Aucun. Et pourquoi donc ? Ce procès qui m'est fait m'indigne. J'essaie de regarder ma vie avec objectivité, de porter sur elle le regard de l'homme que je suis aujourd'hui, ayant accompli ce que j'ai accompli, sachant ce que je sais, là où j'en suis. C'est-à-dire proche du terme.

Je dirai d'abord que je me suis affranchi au fil des années des contraintes de mon milieu, de mon éducation, de certains de ses préjugés. Je préfère avoir suivi ce chemin-là, m'exonérant progressivement de l'environnement conservateur qui était le mien, pour aller à la rencontre des idéaux de la gauche, plutôt que le chemin inverse suivi par bien d'autres, notamment dans les années dont nous parlons, celles de l'avant-guerre et de la guerre. Ce cheminement n'a pas été sans heurts ni sans difficultés, mais je l'ai fait et j'en ressens quelque fierté.

Ensuite, l'action, comme vous le dites vous-même, a ses contraintes ; elle a ses lois. Mais elle n'oblige jamais à faire le contraire de ce que l'on croit. Certes la formule d'un héros de Malraux dans *L'Espoir* : « L'action ne se pense qu'en termes d'action », contient une part de vérité. Mais aujourd'hui, avec le recul et la connaissance, j'essaie de juger mes actions autant que faire se peut. Je suis en paix avec moi-même.

III

GUERRES

ELIE WIESEL – La guerre a des images. Pour moi, c'est un père qui s'en va. Je l'imagine disant au revoir à ses enfants. Il a son sac, il dit au revoir, ses enfants sont venus l'accompagner jusqu'au train. La guerre, c'est toujours quelqu'un qui s'en va. Quelles sont pour vous les images de la guerre ?

FRANÇOIS MITTERRAND – Je serais bien en peine de vous donner de la guerre des images universelles. Vous m'auriez posé cette question avant 1939, ou bien si je n'avais pas été mêlé moi-même à une guerre, je vous aurais peut-être répondu différemment. Mes images de la guerre sont liées à ce que j'ai vécu, en France, à ce moment-là : d'immenses troupeaux mal organisés, des hommes qui se battent sans savoir pourquoi, qui ne sont pas mécontents de partir, car leurs habitudes s'en trouvent bousculées, mais qui ne mesurent pas ce qu'une guerre peut avoir de terrifiant. Vue du côté d'un pays initialement vaincu, la guerre est pour moi la débâcle d'une population, la grande migration. Tout à coup, toutes les structures de la société sautent, tout lieu fixe disparaît, et des foules entières tournent en rond sans trop savoir où elles vont, comme si l'on avait donné un coup de pied dans une fourmilière. La guerre, c'est la rupture de centaines de milliers d'hommes avec ce qui était leur horizon, leur trame déjà dessinée. Voilà l'image que je vois, parce que c'est ce que j'ai vu.

ELIE WIESEL – Où étiez-vous le jour de la déclaration de guerre ?

FRANÇOIS MITTERRAND – Je me promenais boulevard Saint-Michel en compagnie de Georges Dayan. Nous écoutions les nouvelles, les appels de Daladier. J'avais vingt-trois ans, je terminais mes études de droit. Dayan et moi faisions notre service militaire (je me souviens que le jour de la mobilisation, je passais une permission sur une petite plage de Normandie), mais nous étions sur le boulevard Saint-Michel comme deux civils : notre caserne se trouvait boulevard de Port-Royal et nous pouvions en sortir librement. Ce jour-là, nous avions le sentiment clair que plus rien ne serait comme avant, que notre vie avait soudain bifurqué. Nous nous disions : « Regardons bien ce boulevard Saint-Michel, regardons bien les étudiants qui sont autour de nous, regardons bien les magasins ; rien de cela ne sera plus comme avant. Quand nous reviendrons, nous-mêmes ne serons plus ce que nous sommes. » C'était une impression très poignante. C'était la fin de notre jeunesse, ce pouvait être la fin de notre vie. C'était la fin d'un monde, celui qui nous entourait. Voilà l'impression première : elle est égoïste, puisque nous ressentions les événements en fonction de nous-mêmes. Ensuite, pour moi, c'est surtout l'éparpillement, les foules où je me trouvais. Des destins individuels qui basculent.

ELIE WIESEL – Comment étaient les gens dans la rue ? Éberlués ? Effondrés ?

FRANÇOIS MITTERRAND – J'imagine que la génération précédente, celle qui avait vécu la Première Guerre mondiale, voyait la nôtre dans une sorte de grand silence terrifié, parce qu'ils savaient que dans une guerre mondiale moderne les garçons, les soldats du premier jour n'ont pas beaucoup de chances d'être les soldats du dernier jour, d'en sortir vivants. Mais ils ne le disaient pas.

Alors, pour moi, les premières images ont été celles du transport vers le front, c'est-à-dire au-delà de la ligne Maginot. Ce sont déjà des images tout à fait classiques de wagons à bestiaux où, des heures durant, on est assis les jambes ballantes au bord du wagon pour prendre l'air, voir le paysage défiler. On s'en va on ne sait où, sans imaginer ce que seront les affrontements.

À partir de là, on ne vit plus, même pas au jour le jour. On vit à la minute. Il s'agit de vivre la minute d'après. On n'a pas d'autre projet.

ELIE WIESEL — Il y a un confort là-dedans : on se laisse vivre, on se laisse agir, on est pris en charge, on ne décide pas.

FRANÇOIS MITTERRAND — Mais pour certains, c'est un changement de vie, c'est l'aventure. On sort d'un autre étouffement.

ELIE WIESEL — Qui dit guerre, dit ennemi. Était-ce pour vous l'Allemand ?

FRANÇOIS MITTERRAND — Non, c'était autre chose. Nous n'avions pas envie d'en découdre avec les Allemands, ni d'en tuer. Nous étions assez évolués pour ne pas identifier le nazisme et les Allemands. Le nazisme est une idéologie. Nous sentions que cette force mauvaise s'était emparée du peuple allemand et que celui-ci était plutôt devenu un objet, entraîné par elle.

ELIE WIESEL — Vous aviez vingt-deux ans. Quel était votre engagement politique ?

FRANÇOIS MITTERRAND – Je n'en avais aucun. Mais j'étais curieux de tout, de la vie littéraire comme de la vie politique. J'assistais à de nombreux *meetings* politiques, aux réunions des comités antifascistes, à celles des intellectuels de l'époque : André Malraux, André Gide, Julien Benda, d'autres encore. Je participais à de petites réunions, comme celles de l'Union pour la Vérité. Je voyais Georges Bernanos, François Mauriac. Je me promenais aussi beaucoup. Je crois avoir passé plus de temps à me promener dans Paris qu'à étudier. Bref, j'étais intéressé par la vie politique, mais je n'étais pas engagé politiquement. Les quelques petites tentatives que j'avais faites m'avaient aussitôt ennuyé et lassé.

ELIE WIESEL – Vous saviez donc un tout petit peu ce qui se passait en Allemagne ?

FRANÇOIS MITTERRAND – Oui, mais nous n'avions qu'une vague idée des camps de concentration. Nous savions, bien entendu, que les opposants allemands étaient internés, mais il nous a fallu du temps pour apprendre ce que ces camps avaient d'épouvantable.

ELIE WIESEL – Il y avait eu la Nuit de cristal. Début novembre, un jeune Juif allemand assassinait un diplomate allemand. En représailles, des centaines de synagogues furent incendiées, des magasins juifs saccagés, des hommes humiliés, battus, enfermés.

FRANÇOIS MITTERRAND – L'assassinat de von Rath est une affaire fort célèbre. Nous savions que les Juifs étaient persécutés, mais avions une idée peu claire de la Nuit de cristal.

ELIE WIESEL – La presse a dû en parler. Cela n'a-t-il pas pénétré votre conscience ?

FRANÇOIS MITTERRAND – Non.

ELIE WIESEL – Je trouve fascinant qu'en 1939, un homme comme vous, si éveillé à la justice, donc à l'idée de la justice, ne sût pas encore que le nazisme...

FRANÇOIS MITTERRAND – Des gens étaient certainement au courant. Pour notre part, nous ne recevions que des informations confuses. Nous étions sensibilisés au problème de la traite des Juifs qui commençait déjà, mais l'affaire von Rath, si elle eut du retentissement, ne nous permit pas d'en saisir toutes les conséquences. C'était déjà la guerre.

ELIE WIESEL – Quand elle éclata, en 1939, la guerre n'était pas vraiment réelle, parce que ni l'ennemi ni l'image n'étaient réels, c'est cela ?

FRANÇOIS MITTERRAND – C'est certain. On en avait juste une idée. Il y avait les grands rassemblements de Nuremberg, la mobilisation, la militarisation de l'Allemagne et beaucoup d'autres choses qui nous inquiétaient, mais, en profondeur, il nous restait encore une certaine distance à accomplir pour en avoir pleinement conscience.

ELIE WIESEL – Le 10 novembre 1938, c'est à peu près le moment où vous écrivez votre article sur Munich.

FRANÇOIS MITTERRAND – Mon article était consacré à l'*Anschluss*. Il était donc antérieur. Je faisais des choix politiques, certes, mais je ne m'estimais pas engagé dans l'action. Le fait d'écrire est une action, j'en conviens, mais je n'appartenais pas à un groupe organisé, j'avais des réactions individuelles, isolées. Mon meilleur ami, Georges Dayan, dont je vous ai parlé et que je voyais tout le temps, chaque jour, était juif. Il évoluait dans un milieu juif ; c'était comme des provinciaux qui se retrouvent à Paris et qui restent entre eux. Je n'en étais pas, mais comme tous mes meilleurs camarades de l'époque en faisaient partie, j'étais très sensibilisé à leurs problèmes.

ELIE WIESEL – Pensiez-vous alors que la France gagnerait la guerre ?

FRANÇOIS MITTERRAND – Le désordre était tel, la République si faible, qu'il m'était impossible de le penser. Ce texte[1] auquel vous venez de faire allusion, que j'ai écrit à vingt et un ans, en avril 1938, sur l'*Anschluss*, s'intitulait « Jusqu'ici et pas plus loin ». C'était, je crois, un mot du chancelier Schuschnigg, qui avait accepté de traiter avec Hitler. Mon article soulignait que lorsqu'on dit « jusqu'ici », cela va toujours plus loin. Quand le chancelier Schuschnigg répondit à Hitler : « Jusqu'ici et pas plus loin », les troupes allemandes avaient déjà reçu l'ordre d'occuper l'Autriche. J'avais écrit ceci :

« Parce que la force avait pénétré elle ne pouvait être freinée : qui oserait prétendre que le fort saurait se limiter ? C'est le faible qui se donne du courage en parlant et qui, croyant fixer une frontière à la puissance du fort, détermine les concessions. " Jusqu'ici et pas plus loin. " Mais alors pourquoi le fort irait-il jusqu'ici s'il n'avait l'intention de poursuivre plus loin ? On a tendance à ignorer cette vérité d'histoire et de science qu'une expérience réussie commande une seconde expérience.

« Dans la vie des peuples, aussi bien que dans la vie des individus, tout recul est une bataille perdue. Un recul stratégique masque toujours une

---

1. Ce texte publié, en avril 1938, dans la revue *Montalembert*, a été repris dans *Politique*, Fayard, 1977.

défaite ; et les explications tendant à diminuer la faute, à définir les causes, à rejeter les responsabilités ne changent rien à ce fait que l'homme dès sa première chute prononce sa propre condamnation. Qu'est-ce que la pureté si, une fois, elle défaille ? Qu'est-ce que la volonté si elle plie ? Qu'est-ce que la liberté si elle cède ? Sans doute, il y a possibilité de rachat ou de revanche, mais le sang et l'angoisse en servent de monnaie.

« Lorsque le cardinal Innitzer signe : " Heil Hitler ", il sauve la patrie pour quelques jours. Rien à craindre tant qu'on aura besoin de lui. Lui aussi déclare que jusqu'ici il peut traiter mais pas plus loin. Lui demandera-t-on son avis, la prochaine fois, quand il s'agira d'aller plus loin ?

« La France, l'Angleterre et l'Italie enregistrent l'*Anschluss*. Plus ou moins sèchement elles signifient leur agrément. " Cela suffit ! Ne touchons plus à l'Europe ! Assez de chantage ! Nos armées s'excitent ! Nos peuples s'énervent ! Attention ! Jusqu'ici mais pas plus loin ! " C'est ce que l'on appelle de la mauvaise humeur. Mais la mauvaise humeur n'a jamais remplacé la colère.

« La modération est une vertu si elle s'appuie sur la justice ; et il est agréable de confondre la justice et la volonté du peuple : voilà le sens d'un plébiscite. L'Autriche est allemande ; c'est l'autre Allemagne, celle des valses, de l'esprit, du Danube, de Vienne, de Mozart, selon le chromo classique. On a rompu l'Empire austro-hongrois et avec l'Empire l'âme s'est enfuie. Il fallait à l'Autriche ambitieuse et légère les favoris d'un empereur et la guirlande des archiduchesses ; et tout autour, le Slave grondant et le Tchèque batailleur. Il existait un parlement : bonne occasion pour chacun d'affirmer sa volonté, mais aussi bonne raison de ne rien faire, car ceux qui parlent n'aiment pas agir. Mais tout cela est mort, déchiqueté. Et l'ombre du voisin, peut-être trop sombre, mais mystérieuse (l'attrait du mystère) s'est étendue. L'économie, l'argent, les débouchés, la puissance et le droit de clamer sa force et son unité, quels prodigieux aimants ! Sans doute la Prusse guette avec ses hobereaux lourds, mais Vienne est vive et règne au centre de l'Europe : tous viendront s'incliner devant elle quand elle présentera la force derrière le charme. Si le Germain danse mal et maltraite la danseuse, on le fêtera quand même, car il est le triomphateur. Et l'homme quand il triomphe a le droit d'être laid.

« Ainsi la grande Allemagne naît d'une défaite. Ce que l'Autriche n'a pu réaliser du temps de sa grandeur ; ce que la Prusse n'a pu ou voulu obtenir du temps de son hégémonie, une guerre perdue l'accomplit. Le vieux Schwartzenberg et Bismarck, ce modéré, – car Bismarck en 1866 avait refusé de quitter l'Autriche après Sadova –, ont rencontré leur maître. Et le Reich allemand a retrouvé son aigle fidèle avec, sur l'Orient et l'Occident, sa double tête pointée. L'Autriche n'est plus qu'une province. L'œuvre de Wilson est déchirée. La foule, hier pressée le long des avenues de Vienne pour acclamer Schuschnigg, hurle maintenant les louanges d'un nouveau maître. Les tanks et les canons martèlent les rues. Les Docteurs et les Professeurs expliquent que l'évidence est ainsi respectée. Et cela est peut-être vrai. Le fort l'emporte, il peut se parer d'une apparence de justice. L'Autriche est allemande ! L'Autriche, c'est la culture allemande ! L'Autriche, c'est le complément nécessaire d'un Empire germanique.

« Il est peut-être vrai que la France serait folle de tenter une guerre pour sauver une paix perdue, la mort d'un homme est sans doute plus grave que la destruction d'un État. Tout me démontre que rien ne justifie une révolte contre l'événement. Mais sous le faisceau de ces raisons, j'éprouve encore une inquiétude. Parmi la foule enthousiaste d'Inn et de Vienne, je discerne l'angoisse d'un seul visage penché sur le Danube bleu et j'essaie en vain de n'y pas déceler le tumulte du fleuve. Devant la venue triomphale du dieu de Bayreuth sur le sol de Mozart, je sais quel sacrilège se prépare, et malgré moi, j'éprouve une sorte de honte, comme si je m'en reconnaissais responsable. »

ELIE WIESEL – Votre style est déjà fixé. Où aviez-vous publié cela ?

FRANÇOIS MITTERRAND – Dans une petite revue d'étudiants. J'avais pressenti dans l'*Anschluss* « la venue triomphale du dieu de Bayreuth sur le sol de Mozart », le sacrilège qui se préparait.

ELIE WIESEL – Était-ce une prémonition de l'avenir ?

FRANÇOIS MITTERRAND – C'était le triomphe de Hitler sur l'Europe.

ELIE WIESEL – Mais vous disiez tout à l'heure qu'en 1939 vous étiez soldat.

FRANÇOIS MITTERRAND – Oui, j'effectuais mon service militaire.

ELIE WIESEL – Je vous demandais si vous pensiez que la France allait gagner la guerre, et vous avez répondu non.

FRANÇOIS MITTERRAND – On espère toujours. Mais, à l'époque, je n'avais pas une vue suffisamment claire des choses. L'état du gouvernement, des institutions, de l'opinion publique, le désarroi des armées, l'absence d'organisation et d'armement, tout cela me laissait très pessimiste.

ELIE WIESEL – C'est terrifiant d'être soldat dans une armée qui va être vaincue, d'appartenir à un

126

peuple qui va être battu alors que, maintenant, nous savons que la France possédait une puissance supérieure à celle de l'Allemagne.

FRANÇOIS MITTERRAND – C'est ce que l'on dit aujourd'hui. Mais si la France avait un nombre suffisant d'avions, elle n'avait pas la force des blindés.

ELIE WIESEL – Apparemment, c'est la stratégie qui ne suivait pas.

FRANÇOIS MITTERRAND – J'avais une foi un peu naïve, irraisonnée comme toute foi, et je pensais qu'en fin de compte on gagnerait quand même la guerre – ce qui s'est produit. Mais moi, j'étais soldat dans la première phase, celle qui s'est terminée en mai-juin 1940 par la défaite de la France. Par l'écrasement.

ELIE WIESEL – Où étiez-vous pendant la « drôle de guerre » ?

FRANÇOIS MITTERRAND – Aux avant-postes, c'est-à-dire dans la partie du territoire qui se trouvait devant la ligne Maginot. Cette ligne était censée représenter le cran d'arrêt d'une offensive allemande. Il fallait bien qu'il y eût des gens devant pour prévenir en cas d'attaque. La ligne Maginot ne suivait pas exactement la frontière : il y avait encore un peu de territoire français devant elle. C'est là que je me trouvais, car j'appartenais à un régiment d'infanterie coloniale. Il y avait des escarmouches, peu nombreuses, certes, mais nous essuyions des coups de feu et, de temps en temps, des tirs d'artillerie. Les avants-postes étaient de tout petits bouts d'armée. On voyait les Allemands à cinq cents mètres, derrière les fils barbelés. C'était en effet une drôle de guerre pour nous. Mais à l'arrière, c'était autre chose : il ne s'y passait rien et les gens pouvaient oublier la guerre.

Ensuite, peu avant mai, j'ai été affecté à l'extrémité de la ligne Maginot, dans les Ardennes, après Montmédy. Il n'y avait plus de fortifications à cet endroit. C'était une espèce de vide entre la ligne Maginot et Sedan, à trente kilomètres à l'est de Sedan. On nous occupa en nous faisant faire du jardinage ou creuser des tranchées. Nous commencions à oublier la guerre. Et puis ce fut le 10 mai 1940, dans la nuit du 9 au 10 mai, un roulement continu : les avions allemands passaient avec un bruit lugubre, impressionnant. Désormais, c'était l'affrontement. Ils arrivaient sur nous avec des chars. Et le matin du 10 mai, nous avons vu les Allemands s'installer du côté de la petite rivière, frontière avec la Belgique, qui s'appelait la Chiers, prendre leurs dispositions et passer à l'offensive. La guerre était réellement déclenchée, les avions nous bombardaient. Cela a duré pour moi jusqu'au 14 juin, jour où j'ai été blessé ; et pendant ce mois j'ai connu la vraie guerre, le contact direct avec le combattant d'en face.

ELIE WIESEL — Que faisiez-vous ? Comment remplissiez-vous vos journées ?

FRANÇOIS MITTERRAND — J'ai d'abord commandé une section dans une compagnie d'infanterie. Nous creusions des trous dans le terrain et nous nous y installions avec des fusils mitrailleurs en vue d'arrêter les Allemands qui se présenteraient. Quand ils sont arrivés, nous n'avons pas pu les arrêter. Nous avons reçu l'ordre de nous replier et nous avons commencé à reculer par étapes, le long de la Meuse. C'était harassant, parce qu'il fallait marcher sans cesse de freiner les Allemands pour retarder leur progression. Nous alternions avec un régiment de la Légion étrangère, mais nous ne dormions plus.

ELIE WIESEL — Avez-vous subi beaucoup de pertes ?

FRANÇOIS MITTERRAND — Oui, dès les premiers jours, puisqu'il n'y avait plus dans ma compagnie qu'un officier... Quant à moi, j'étais l'un des derniers sous-officiers.

ELIE WIESEL — Avez-vous perdu des camarades proches, des amis ?

FRANÇOIS MITTERRAND – Dans ma section, oui, quelques-uns. Je m'entendais bien avec plusieurs garçons, dont un caporal nommé Bodiou qui venait de Lannion. C'était un type épatant. Il a explosé sous un obus. On n'a rien retrouvé de lui. Je me souviens d'un Vendéen qui s'appelait Trotin, un grand garçon sympathique, serviable, courageux. Tué, lui aussi. Je me souviens d'un garçon assez cultivé qui tenait des boîtes de nuit à Paris et qui avait acquis la certitude de sa mort. Il fut en effet l'un des premiers à être tué.

ELIE WIESEL – Quelle impression cela faisait-il, de voir ces premiers morts ?

FRANÇOIS MITTERRAND – Nous étions pris dans l'action. Les bombardements qui préparaient les attaques d'infanterie étaient assourdissants, impressionnants. Nous ne pensions plus chacun à rien d'autre qu'à être épargnés. La mort, c'était pour les autres. Il y a une formidable espérance de vie dans la jeunesse.

ELIE WIESEL – Aujourd'hui, les experts disent presque unanimement que si la France avait attaqué en 1939, elle aurait gagné la guerre.

FRANÇOIS MITTERRAND – Il y avait de grandes discussions à l'époque. Fallait-il faire une guerre préventive ? Je crois que certains, comme Paul

Reynaud, y étaient favorables, mais ce n'est pas la thèse qui a prévalu. Et d'un point de vue stratégique, nous sommes tout le temps restés sur la défensive. Il n'y a eu aucun mouvement tendant à vaincre l'ennemi. Il fallait se défendre et résister autant que possible et c'est tout. Ce n'est pas une bonne disposition pour une armée.

ELIE WIESEL — Pensez-vous que cette guerre de position était une erreur ?

FRANÇOIS MITTERRAND — On ne m'a jamais demandé d'avancer, mais de reculer. Je ne peux pas apprécier, ne connaissant pas l'état des forces à l'époque.

ELIE WIESEL — Une des leçons à tirer de cette guerre-là, c'est que parfois la guerre préventive est justifiée.

FRANÇOIS MITTERRAND — Si l'on a la certitude de ne pouvoir éviter la guerre, alors je crois que l'on est moralement autorisé à mettre en œuvre les moyens qui conviennent pour la gagner. Surtout lorsque l'on doit défendre sa patrie en même temps qu'une certaine idée de l'homme. C'est une hypocrisie de dire que celui qui commence a tort. Commencer ne veut pas dire forcément tirer le premier coup de feu.

ELIE WIESEL — Et si quelqu'un avait tué Hitler en 1936 ?

FRANÇOIS MITTERRAND – On ne peut pas faire l'apologie du crime politique. Bien entendu, on est toujours effleuré par cette pensée.

ELIE WIESEL – Je pense à l'ambassadeur de Grande-Bretagne à Berlin qui, avec beaucoup de remords, a raconté quelque part qu'ayant un revolver en poche il aurait pu tuer Hitler et qu'il regrette de ne pas l'avoir fait.

FRANÇOIS MITTERRAND – On ne sait jamais où s'arrête le crime politique. On s'instaure juge soi-même. Si chaque individu se faisait juge, cela servirait aussi à justifier les règlements de compte dans les conflits privés.

ELIE WIESEL – Mais n'est-ce pas précisément l'essence de la guerre ? Tout le monde devient juge, tout le monde devient victime, tout le monde devient bourreau. C'est la force égalisatrice.

FRANÇOIS MITTERRAND – Il y a eu finalement assez peu d'attentats contre Hitler.

ELIE WIESEL – Ils ont échoué.

FRANÇOIS MITTERRAND – Certes, mais ils ne furent pas nombreux. Moins nombreux, en tout cas, que ceux qui visèrent Louis-Philippe ou Napoléon III.

ELIE WIESEL – S'il n'y eut pas beaucoup d'attentats contre Hitler, c'est qu'au début il apportait le

bien-être et la gloire aux Allemands. Il avait recon-
quis les territoires de l'Allemagne. Grâce à lui, elle
faisait peur.

FRANÇOIS MITTERRAND — Il faut bien avoir en tête
que Hitler a connu une très grande réussite pendant quelques années, mais c'est une réussite que
je m'applique à expliquer souvent. Ne parlons pas
de ses thèses de politique intérieure, de racisme,
parlons de l'Allemagne. Tant que Hitler a cherché
à dominer les effets du traité de Versailles, à réparer la défaite de 1918, tant qu'il a cherché à rassembler les Allemands, et à les rassembler dans un
seul État, il a gagné très facilement. Et pourtant ;
il a commencé en 1933, très peu de temps après
les traités. Mais c'était comme si les puissances
occidentales, l'Angleterre et la France en particulier, n'avaient pas la possibilité, la capacité, ni la
résolution d'empêcher quelque chose qui, dans le
fond, pouvait être considéré par les Allemands
comme juste. Hitler avait une idée forte : rassembler les Allemands. Il réalisa donc l'*Anschluss* et,
face à cette reconquête de l'unité allemande, les
autres pays ne se sentirent pas idéologiquement
assez armés, assez forts pour s'y opposer : finalement, ils capitulèrent chaque fois. Hitler échoua à
partir du moment où il manqua à sa propre stratégie, en premier lieu quand il s'attaqua à la

Bohême et conquit un territoire qui n'était pas allemand. C'est à partir de là qu'il commença à perdre. La Bohême, puis la Pologne. Dès qu'il devint le conquérant d'une terre autre qu'allemande, la guerre fut certaine. Il la gagna dans un premier temps, la perdit dans un second.

ELIE WIESEL — Mais il voulait la guerre. Pas seulement la victoire, mais surtout la guerre.

FRANÇOIS MITTERRAND — Ce que je veux dire, c'est que Hitler a eu un succès étourdissant. Il a, je crois, récupéré onze à douze millions d'Allemands sans crise grave ; et la crise — c'est-à-dire la guerre — a commencé à partir du moment où il a cessé d'être simplement un patriote nationaliste, un expansionniste germanique, pour se poser en conquérant du monde, au service d'une idéologie sauvage. J'essaie historiquement de voir à quel moment, dans ce formidable triomphe militaire, il était déjà perdu.

ELIE WIESEL — Pensez-vous qu'il serait resté plus longtemps au pouvoir s'il n'avait pas dépassé cette frontière ? Je pense que s'il était resté en 1939 sans attaquer la France...

FRANÇOIS MITTERRAND — Il ne s'en est pas pris à la France, mais à la Bohême, à la Tchécoslovaquie. La France avait des traités, le jeu des alliances...

ELIE WIESEL – Oui, mais la France n'aurait pas attaqué.

FRANÇOIS MITTERRAND – Dès qu'il est sorti du problème allemand, disons du problème germanique, il est entré dans le réseau des traités, des accords, des solidarités. Il voulait la guerre, alors cela ne l'a pas gêné ; mais pour l'historien qui juge après coup, je crois que l'entreprise de la conquête de l'Europe, au service de son idéologie, était frappée dès le premier jour de mort, alors que s'il s'était voulu simplement le réunificateur des Allemands, je me demande qui serait venu l'attaquer.

ELIE WIESEL – Moi, je vais plus loin. 1939 : l'Allemagne occupe la Pologne ; la France et la Grande-Bretagne déclarent la guerre, mais, en mai 1940, rien n'arrive. Pas d'offensive allemande. Pensez-vous que la France et l'Angleterre auraient attaqué l'Allemagne plus tard ? Je ne le pense pas.

FRANÇOIS MITTERRAND – Elles avaient accepté l'abandon de la Tchécoslovaquie, ce qui était déjà pour elles une honte, une diminution de puissance, de prestige, d'autorité ; elles ne pouvaient pas accepter que toutes leurs alliances fussent déchirées.

ELIE WIESEL – Mais elles ont abandonné la Pologne.

FRANÇOIS MITTERRAND – Elles étaient irrésolues.

135

ELIE WIESEL – Et puis l'Union soviétique qui fait un pacte avec Hitler...

FRANÇOIS MITTERRAND – Quand on fouille un peu, on s'aperçoit que les Russes, qui redoutaient Hitler, n'étaient pas tranquilles non plus du côté des Occidentaux. Je crois que, de notre côté, à l'égard des Russes, nous avons accumulé les fautes diplomatiques.

ELIE WIESEL – Pendant ce temps-là, vous vous faisiez battre. Vous reculiez.

FRANÇOIS MITTERRAND – Oui, j'assistais à la décadence de la France et j'en souffrais. Mais je n'avais pas les moyens d'analyser la situation : j'étais pris, moi, par l'action.

ELIE WIESEL – Vous sentiez-vous humilié ?

FRANÇOIS MITTERRAND – Oui. Sur le moment, je fus agité par toutes sortes de colères.

ELIE WIESEL – Contre quoi ?

FRANÇOIS MITTERRAND – Contre la façon dont la France avait été dirigée.

ELIE WIESEL – Aviez-vous pressenti la défaite ?

FRANÇOIS MITTERRAND – Je vous l'ai dit. Je voyais bien la désorganisation de l'armée. Je constatais, puisque j'étais acteur de cette guerre, que nous n'avions ni les dispositions d'esprit, ni les dispositions matérielles qui nous auraient permis de gagner.

ELIE WIESEL — Pensiez-vous à l'avenir ?

FRANÇOIS MITTERRAND — Non. Peut-être avais-je un vague sentiment qu'au bout du compte on s'en tirerait. La campagne de 1940 fut un des grands moments d'abaissement de la France.

ELIE WIESEL — Le ressentiez-vous dans votre chair ?

FRANÇOIS MITTERRAND — Oui, absolument. C'est une impression qui a marqué le reste de mon existence, chaque fois que j'ai eu l'occasion de m'occuper de la collectivité nationale : ne pas se retrouver dans cette situation.

ELIE WIESEL — Étiez-vous en contact avec les civils durant votre retraite ?

FRANÇOIS MITTERRAND — Avec les réfugiés répandus sur les routes dans un désastre général, oui. Mais le plus terrible, c'est que là où nous arrivions, il n'y avait plus personne : les villages étaient vides. Les maisons abandonnées. Les Français les avaient pillées. Ce ne pouvaient être les Allemands, puisqu'ils n'étaient pas encore là. Nous nous arrêtions dans un village pour nous reposer ou dormir ;

j'entrais dans des maisons et je voyais les édredons éventrés, les draps déchirés, les glaces, les verres cassés, les confitures répandues comme sur une palette de peintre. Tout cela pour rien. Par goût de souiller, de détruire. L'instinct de horde.

ELIE WIESEL — Comment expliquez-vous cela ?

FRANÇOIS MITTERRAND — Par la guerre. Instantanément, dès le premier jour, la civilisation avait disparu et c'était le règne du pillage. Nous étions dans une partie de la Lorraine politiquement française et culturellement allemande : j'étais le premier soldat qui arrivait là et, déjà, tout était cassé. Comme lorsqu'on arrive le premier au tombeau du Pharaon et que l'on s'aperçoit qu'il est déjà pillé. Quelqu'un, on ne sait qui, est passé avant vous. La guerre, c'est la ruine de toute structure sociale. Elle libère toute une série d'instincts. Et le soldat, même celui qui sera vaincu et qui ne le sait pas encore, adopte, quand il arrive quelque part, un comportement d'occupant, y compris dans son propre pays.

ELIE WIESEL — C'est triste. On aurait pu espérer une plus grande solidarité.

FRANÇOIS MITTERRAND — Pas à ce moment-là. Rien ne tenait. Un certain nombre de valeurs morales collectives avaient disparu. L'échec de la France en

138

1940 était le produit d'une désagrégation de l'esprit. Ce n'était pas un hasard. Sans quoi, la France avait des forces, des moyens, des richesses. Si elle n'a pas rassemblé ces moyens, c'est parce qu'elle était frappée dans son esprit même.

ELIE WIESEL – Peut-on dire que la France a été vaincue avant d'être vaincue ?

FRANÇOIS MITTERRAND – On doit le dire. Les classes dirigeantes ont essayé de prendre une revanche sur leur propre défaite politique et sociale en accusant le Front populaire. On a appelé cela la débâcle. C'en était vraiment une. Je l'ai vécue de l'intérieur. Quand j'ai été blessé, le 14 juin, on m'a mis sur une civière roulante, une civière surélevée, et un camarade m'a poussé sur la route pour m'amener jusqu'à un endroit où l'on pourrait me soigner. Des avions ennemis venaient mitrailler la route. Je voyais la formidable cohorte de charrettes avec tous les objets que les gens avaient sortis de leur maison, les draps, les matelas, des armoires, des chaises, tout un tas d'objets qui débordaient, tirés par un âne ou un cheval, des bœufs... C'était un embouteillage colossal, sur des kilomètres, des files noires autant qu'on puisse voir à l'horizon qui s'étiraient vers le sud. Quand les avions passaient, ils faisaient du rase-mottes, ils descendaient et ils mitraillaient pour accroître la panique. À ce moment-là, mon accompagnateur, qui était un très brave type, faisait comme les autres : il se jetait dans un fossé ou dans la nature, si bien que je restais tout seul sur ma civière au beau milieu de la route. Je me souviens de ma solitude sur cette route, étendu face au ciel, regardant les avions piquer.

ELIE WIESEL — Où étiez-vous blessé ?

FRANÇOIS MITTERRAND — Un obus à balles, un shrapnell, avait éclaté au-dessus du petit groupe que je formais avec mon aspirant, un jeune homme de mon âge (professeur de philosophie aux États-Unis et qui a été attaché culturel de France à Washington) avec lequel je m'étais lié d'amitié. J'ai pris deux éclats. L'un m'a traversé le corps au-dessous de l'omoplate. Je ne m'en suis pas rendu compte tout de suite. J'ai cru qu'une balle m'avait frappé de plein fouet. J'ai eu un choc au niveau de la gorge. J'ai dit à mon ami, qui avait le genou traversé, que j'étais touché à la gorge. C'était idiot, car si cela avait été le cas, je n'aurais pas pu parler. Alors il a déchiré ma chemise — ce qui m'a valu de rester pendant deux mois sans chemise — et il m'a dit : « Il n'y a rien, tu n'as rien. » Et puis, en regardant mieux, il a vu un filet de sang qui coulait dans le dos, d'un petit trou. C'était un éclat qui avait traversé la plèvre et qui était venu se loger dans l'épaule. Il y en avait un autre, mais la blessure était superficielle. Je suis quand même resté un an avec le bras un peu raide. Quelques camarades m'ont transporté blessé et surtout sonné, jusqu'à une petite route où j'ai trouvé cette civière. J'ai fait des kilomètres jusqu'à Esne-en-Argonne, où il y avait une infirmerie dans une cave. Là, des dizaines de gens attendaient, qui étaient plus gravement blessés que moi. Au milieu des gémissements, des chirurgiens travaillaient sur des tables. Je suis allé voir ailleurs. J'ai fait cinq hôpitaux sans trouver un médecin. Finalement, je me suis habitué à ma blessure. Je n'étais pas mort! Personne ne m'a jamais soigné. Les Allemands entraient à Paris, j'étais encore à Verdun. Nous ne nous rendions pas compte que nous étions virtuellement prisonniers, puisque les armées allemandes s'étaient rabattues et avaient fermé la poche de Lorraine. Et donc nous tournions en rond. Puis il y a eu l'Armistice. À ce moment, je me trouvais dans la petite ville de Bruyère, dans les Vosges. Les Allemands sont arrivés; j'étais dans mon lit d'hôpital, à côté d'un Sénégalais.

ELIE WIESEL – Étiez-vous prisonnier?

FRANÇOIS MITTERRAND – Ils ne se sont pas occupés de moi. Ils ont pris la ville et l'hôpital, qui sont donc passés sous commandement allemand. Je ne me suis pas aperçu de la différence.

ELIE WIESEL – Cela fait quoi, un homme libre se retrouvant prisonnier ?

FRANÇOIS MITTERRAND – C'est encore la vie qui prend un nouveau cours. Je n'avais qu'une idée : m'en aller, m'échapper. Tout de suite, je me suis organisé pour partir. Comme je n'étais pas très vaillant physiquement – j'étais faible et j'avais le bras raide –, on m'a transporté à l'hôpital de Lunéville. Mais les seuls soins reçus furent des piqûres antitétaniques. On m'a gardé à l'hôpital. J'ai mis sur pied un plan d'évasion ; ce n'était pas très difficile de partir à ce moment-là. Mais j'ai été transféré au camp de prisonniers de Lunéville. Derrière les barbelés, rien n'était pareil. Peu après, je partais en convoi pour l'Allemagne.

ELIE WIESEL – Combien étiez-vous ?

FRANÇOIS MITTERRAND – Des centaines, entassés comme devaient l'être plus tard les déportés dans d'immenses trains de marchandises. On nous a acheminés jusqu'au centre de l'Allemagne. De nouveau, je n'ai pensé qu'à m'évader. Nous étions en août 1940. En mars 1941, je me suis évadé pour la première fois. J'ai été repris au bout de trois semaines. En novembre, j'ai recommencé, d'un camp central, cette fois. Quand j'ai été repris, on m'a transféré dans un camp de transit situé sur l'ancienne frontière allemande et d'où je me suis à nouveau évadé douze jours après mon arrivée.

ELIE WIESEL – Est-ce que les Allemands séparaient les Juifs des Français ?

FRANÇOIS MITTERRAND – Non. Mais ils remplissaient des fiches sur chacun. J'avais un très bon camarade qui s'appelait Bernard : c'était un Juif russe ; quand on le lui a demandé, il a indiqué sa religion juive.

ELIE WIESEL – Est-il resté jusqu'au bout ?

FRANÇOIS MITTERRAND – Il est resté tout le temps avec moi. Il y avait apparence de légalisme. Nous étions des soldats français en uniforme : on appliquait la convention de Genève.

ELIE WIESEL – Comment était la vie dans les camps ?

FRANÇOIS MITTERRAND – Très vite, les Juifs qui parlaient l'allemand couramment ont pris de l'importance. Ils nous servaient d'interprètes. Ils avaient déclaré leur religion ; les Allemands appelaient chacun d'eux « le Juif ». Nos gardiens étaient pour la plupart des ouvriers allemands, des vieux qui n'allaient pas au front, des braves types.

ELIE WIESEL – Pas de SS ?

FRANÇOIS MITTERRAND — Ils étaient au front.

ELIE WIESEL — Les SS étaient au front pour tuer les Juifs.

FRANÇOIS MITTERRAND — Dans nos camps, nous n'avions pas les gens actifs.

ELIE WIESEL — Comment se passait la journée ?

FRANÇOIS MITTERRAND — Dans le camp, les heures s'égrenaient, ponctuées par des corvées. Dans les commandos, on travaillait. À Schaala, près de Rudolstadt où j'étais. Il s'agissait d'une petite unité de deux cents à deux cent cinquante hommes regroupés dans une maison fortifiée. C'était une fabrique de porcelaine en Thuringe, dans l'ancienne République démocratique allemande. Nous formions un petit commando dit d'intellectuels parce que s'y trouvaient des curés, des instituteurs, des Juifs et des républicains espagnols. C'était un curieux mélange, mais tous s'étaient engagés dans l'armée française. Nous menions une existence conviviale, et travaillions toute la journée. Les tâches étaient souvent épuisantes, notamment pour ceux qui s'occupaient du terrassement. Dans les plaines de cette région, lorsque c'est l'hiver et que le vent souffle, les conditions sont dures. Cet hiver-là, en 1941, j'ai passé des jours et des jours à balayer la neige sur les rails pour que les trains puissent passer. C'était monotone. J'avais des chaussettes russes – autant dire des chiffons – et, naturellement, j'étais sous-alimenté ; il fallait donc résister.

ELIE WIESEL – L'image la plus typique de ces camps, nous la devons à Sartre. Il a décrit les prisonniers jouant des pièces de théâtre ou prononçant des conférences.

FRANÇOIS MITTERRAND – Ce n'était pas le cas dans les commandos. La journée, nous étions pris par des travaux durs et ne pensions pas à autre chose ; le soir, nous bavardions entre nous. C'est dans les camps centraux, qui regroupaient chacun vingt à trente mille hommes, qu'existaient des programmes de conférences.

ELIE WIESEL – Vous vous évadez donc en 1941...

FRANÇOIS MITTERRAND – Je tente une première évasion en mars, puis en novembre, et je réussis en décembre 1941.

ELIE WIESEL – Vous rentrez en France et la France est occupée, la France résiste.

FRANÇOIS MITTERRAND – Je me dirige d'abord vers la France dite libre, celle où se trouvait le gouvernement de Vichy.

ELIE WIESEL – Avez-vous fait le trajet à pied ?

FRANÇOIS MITTERRAND – J'ai pris le train jusqu'à Mouchard, dans le Jura, près de la ligne de démarcation ; et là j'ai traversé à pied, la nuit, avec quelques indications. Je me suis retrouvé en zone libre, séparé de ma famille restée en zone occupée. Par la suite, je suis allé voir plusieurs fois mon père en Charente, en traversant en fraude la ligne de démarcation dans l'autre sens. Puisque j'étais un évadé, j'ai commencé une vie clandestine. Quand les Allemands sont entrés en zone libre, je suis devenu un hors-la-loi. J'ai donc été amené à vivre la vie des hors-la-loi : les faux papiers, les faux ceci, les faux cela.

ELIE WIESEL – Quel était votre nom ?

FRANÇOIS MITTERRAND – J'en ai changé de nombreuses fois. Mais mon nom de guerre le plus connu, c'était Morland. En Angleterre, la France libre m'a donné le nom de Monnier. Après la guerre, j'ai retrouvé au moins quarante fausses cartes d'identité. Elles venaient toutes de Dieppe. L'état civil ayant été bombardé et tout ayant brûlé, il était impossible de vérifier. À un moment, je me suis appelé Basly ; c'était le nom de quelqu'un qui avait existé. Je savais très bien faire les fausses cartes d'identité, à s'y méprendre.

ELIE WIESEL – Il y avait des camps plus durs, des endroits d'où l'on ne pouvait pas s'évader.

146

FRANÇOIS MITTERRAND – Oui, les camps de déportation.

ELIE WIESEL – Où l'évasion posait un problème de conscience pour les évadés. Lorsqu'un homme s'évadait, les autres en souffraient.

FRANÇOIS MITTERRAND – Chez nous aussi, mais ce n'était pas une grande souffrance. Les camarades manquaient de sommeil parce que, pendant toute la nuit, lorsqu'il y avait une évasion, on les obligeait à se tenir debout. Ce n'était pas un supplice ; ce n'était pas bien tragique. La discipline se resserrait. Tandis que dans les camps de déportés, au besoin on fusillait.

ELIE WIESEL – Et pourtant, ceux qui restaient poussaient les autres à s'évader. On voulait que les gens s'évadent pour aller témoigner.

FRANÇOIS MITTERRAND – Dans les camps de prisonniers, j'ai aperçu des différences de traitement. Quand sont arrivés les prisonniers russes et serbes, c'est devenu terrible. Je me suis soudain rendu compte à quel point nous étions mieux traités. Ils manquaient de soins, ils mouraient de faim. Du côté des Serbes, on ramassait des charrettes de cadavres. On nous avait chargés de les jeter dans des tombereaux. Il faut dire les choses : les Français étaient mieux traités.

Elie Wiesel – Justement, que saviez-vous de ma guerre ? Je l'ai vue s'abattre sur nous comme la foudre. À quel moment avez-vous su ?

François Mitterrand – Je ne peux pas vous le dire. Avant la guerre, nous n'en avions pas vraiment conscience. J'ai connu l'antisémitisme par ma mère, qui l'a découvert, un jour, grâce à Paul Déroulède. On n'avait jamais vu de Juifs à Jarnac. Ma famille, au tournant du siècle, était naturellement portée au patriotisme ; elle vivait, mes parents et mes grands-parents étant clemencistes et républicains, sur le chagrin de la défaite de 1870. Paul Déroulède, lui aussi, était Charentais. Quand il fut condamné à l'exil à San Sebastian, en Espagne, mon grand-père lui rendit visite plusieurs fois. C'était un long voyage. Un jour, il emmena ma mère. Elle avait dix-sept ans. Elle était fière de rencontrer le « grand patriote » Déroulède, celui qui n'avait pas accepté la défaite. Comme elle était un bon peintre, elle lui apporta un tableau composé de fleurs bleues, blanches et rouges. Cela plut à Déroulède ; ils correspondirent. J'ai gardé des lettres de Déroulède à ma mère. Ce jour-là, il y avait chez lui les dirigeants des Ligues, antidreyfusards et antisémites. Ils revinrent tous ensemble par le train qui, à cette époque, était lent. Durant le voyage, ils discutèrent avec mon grand-père et

148

ma mère. La conversation dévia sur l'affaire Dreyfus, sur la haine antisémite. Peu à peu, les yeux de ma mère s'agrandissaient de surprise. De retour à Jarnac, elle était devenue rebelle, définitivement, à l'antisémitisme. J'ai conservé ses notes sur cette histoire. Elle écrit : « Cette haine n'est pas chrétienne. » Mes parents étaient des gens de bonne volonté. À la fin de la Deuxième Guerre mondiale, mon père accueillit un jeune médecin juif, Stein, et sa femme. Il se prit d'une grande affection pour cet homme qui finit par se suicider. Mon père, extrêmement peiné, mourut peu après. Il disait : « Le monde est fou. » La femme de ce jeune médecin se remaria aux États-Unis avec un lauréat du prix Nobel, et elle vient toujours nous voir. Pendant la guerre, des gens qui étaient en situation d'être déportés, en parlaient ; mais ils ne savaient pas à quel point c'était le cauchemar. Il s'agissait plus d'une crainte que de la connaissance d'une réalité. C'est seulement à partir de 1943 que commencèrent les témoignages sur les camps.

ELIE WIESEL – En 1943, saviez-vous ce que signifiait Auschwitz ?

FRANÇOIS MITTERRAND – Ce mot était inconnu. On connaissait Dachau, je ne sais pourquoi, et Buchenwald.

ELIE WIESEL – C'étaient des camps de rééducation pour les prisonniers politiques.

FRANÇOIS MITTERRAND – Notre premier *Kommando* était proche de Buchenwald.

ELIE WIESEL – Aviez-vous connaissance des tortures, des expérimentations médicales, des massacres ?

FRANÇOIS MITTERRAND – Il y avait des rumeurs, mais elles étaient loin de la réalité. À la fin de la guerre, j'ai assisté à la libération des camps de Landsberg et de Dachau. Le général de Gaulle m'y avait envoyé pour accompagner le général Lewis. Et là, j'ai pris en pleine figure tous ces morts, dont un grand nombre avaient été brûlés au lance-flammes. Le récit éclaire, mais ce qu'on a vécu comme acteur, c'est autre chose. Votre expérience à vous est incommunicable.

ELIE WIESEL – Votre philosophie de l'homme en a-t-elle été modifiée ?

FRANÇOIS MITTERRAND – Non, mais durcie. Il y avait aussi sur ces événements des témoignages qui provenaient du ghetto de Varsovie en 1943.

ELIE WIESEL – Quelques prisonniers qui s'étaient échappés d'Auschwitz ont pu également témoigner.

FRANÇOIS MITTERRAND – Les Juifs de Varsovie ont été acteurs, victimes et témoins. Quelques survivants ont pu raconter ce qu'ils avaient vu.

ELIE WIESEL – Quelques-uns se sont échappés de Varsovie en 1943. Avec ceux qui avaient pu s'échapper d'Auschwitz, ils ont alerté l'opinion.

FRANÇOIS MITTERRAND – Il a fallu du temps pour les entendre.

ELIE WIESEL – Et pourtant le monde connaissait le contenu de ce message. Nous savons qu'en 1944, deux mois avant la déportation des Juifs de Hongrie, deux prisonniers évadés d'Auschwitz ont témoigné. Ils avaient vu qu'on préparait déjà les fours et les chambres à gaz pour six cent mille Juifs hongrois. Ils s'étaient dit que même s'il y avait une chance sur un million, il fallait alerter les Juifs hongrois et l'opinion. Et ils ont réussi. Ils sont arrivés en Hongrie, en Tchécoslovaquie d'abord, et ils ont vu le nonce apostolique, les dirigeants et les résistants. Ils ont été les premiers à décrire ce qui se tramait. Tout le monde savait. Churchill savait, Roosevelt savait.

FRANÇOIS MITTERRAND – C'était en mars 1944. À la fin de la guerre.

ELIE WIESEL – Nous étions encore chez nous, dans notre petite ville, à jouer, à étudier, et nous étions sans le savoir déjà morts. Parce que deux mois plus tard, deux semaines avant le débarquement, en mai 1944, on a commencé à déporter les Juifs hongrois.

FRANÇOIS MITTERRAND – Où étiez-vous à ce moment-là ?

ELIE WIESEL – Dans ma petite ville des Carpates. Les Allemands ont occupé la Hongrie en mars. En mai, ils ont commencé à déporter cent mille Juifs par semaine. Les trains de la mort avaient priorité sur les convois militaires. La Wehrmacht se faisait battre sur tous les fronts, mais l'anéantissement des Juifs européens semblait pour Hitler plus important que la victoire. Quand je pense à la tragédie des Juifs hongrois, je suis proche du désespoir. Car à Washington, à Londres ou à Stockholm, les gens étaient au courant. Ils auraient pu nous avertir ; ils ne l'ont pas fait. Une fois à Auschwitz, nous étions perdus ; mais nous aurions pu être sauvés. Les Russes étaient à vingt kilomètres de notre ghetto. Nous étions quinze mille ; seuls deux Allemands et cinquante-neuf gendarmes hongrois nous gardaient : nous aurions tous pu, vraiment tous, quitter le ghetto la nuit, tranquillement.

FRANÇOIS MITTERRAND – Je savais qu'il y avait des camps, mais je n'avais pas connaissance de la destruction systématique. Je ne me représentais pas la réalité d'Auschwitz.

ELIE WIESEL – Il y avait pourtant les rapports du ghetto de Varsovie.

FRANÇOIS MITTERRAND – Varsovie n'était pas Auschwitz. Ce degré de la souffrance m'était inconnu. Vous aviez des témoignages qui ne me parvenaient pas.

ELIE WIESEL – Dans mes recherches, j'ai découvert que les grands journaux américains, le *New York Times*, le *Washington Post*, parlaient déjà d'Auschwitz. On était au courant. Roosevelt savait, mais il n'a rien dit. Un jour, j'ai rencontré le président Carter. Il m'a dit : « J'ai pour vous un cadeau spécial. J'ai demandé au chef de la CIA de me trouver dans les archives tout ce que nous savions des endroits où vous étiez. » On a retrouvé ces photos prises par les pilotes après le bombardement d'une usine près d'Auschwitz. On les a étudiées. Roosevelt avait étudié les mêmes. C'était tellement clair. Je lui ai demandé : « Comment est-il possible que l'on n'ait pas exploité ces photos ? » Il m'a répondu : « Je ne sais pas. » Alors, je lui ai demandé : « Si vous étiez à ma place, que penseriez-vous de Roosevelt maintenant ? » Il semblait troublé, le président Carter. Il scrutait les photos et ne disait rien. Était-il prêt à défendre son prédécesseur ? Il ne l'a pas fait. Il s'est contenté de dire plus tard : « Qui sait ce qu'il a pu penser. »

FRANÇOIS MITTERRAND — Je ne pense pas. Certes Roosevelt a mis du temps à pousser les États-Unis dans la guerre. Mais il lui fallait convaincre l'opinion.

ELIE WIESEL — Il était indifférent au sort des Juifs.

FRANÇOIS MITTERRAND — Vous croyez !

ELIE WIESEL — Il a eu peur qu'on ne l'accuse d'être trop ami des Juifs. Je n'étais pas le premier à le soupçonner et à l'écrire. Il voulait surtout ne pas être attaqué par ses adversaires. Y a-t-il des vérités qu'un chef d'État ne doit pas dire ?

FRANÇOIS MITTERRAND — Le temps qu'une opération difficile se déroule, le secret peut être nécessaire. Mais pas au-delà.

ELIE WIESEL — S'il y avait une tragédie et que vous étiez au courant de cette tragédie, parleriez-vous ?

FRANÇOIS MITTERRAND — Oui. Je l'ai fait pour les Palestiniens. C'était un sujet essentiel. Le Gouvernement gardait le silence de peur de se heurter à la Syrie, dont dépendait pour une part le sort de nos otages. Et chacun ménageait le gouvernement d'Israël.

ELIE WIESEL — Croyez-vous que la guerre soit quand même le pire des outrages à la conscience humaine ? Moi, j'y crois.

FRANÇOIS MITTERRAND — C'est le pire outrage collectif. Mais les violences individuelles sont aussi graves. En soi, la guerre n'est pas plus cruelle que le viol ou l'assassinat d'un enfant.

ELIE WIESEL — Pourquoi ?

FRANÇOIS MITTERRAND — La guerre est aveugle. Ce qui la rend épouvantable, c'est son aspect, ces grandes masses qui périssent ensemble, un peuple entier, une région, une ethnie.

ELIE WIESEL — Mille enfants mutilés, cela me semble pire qu'un enfant tué. Varsovie, c'est pareil. Mais parlons de la guerre nucléaire. Qu'est-ce qui vous fait peur dans la guerre nucléaire, dans sa perspective ?

FRANÇOIS MITTERRAND — La destruction d'une partie de l'humanité.

ELIE WIESEL — La croyez-vous possible ?

FRANÇOIS MITTERRAND — Je suis partisan de l'armement nucléaire de la France, parce que je crois que disposer de cette arme rend impossible une agression contre la France. Quant à une guerre nucléaire entre les deux plus grandes puissances,

155

vous savez que s'est créé l'équilibre de la terreur. Mais, agissant dans le cadre des responsabilités qui sont les miennes et cherchant à préserver du désastre les cinquante-cinq à soixante millions de compatriotes dont j'ai la charge, j'emploie la stratégie qui me paraît le mieux convenir. Disposer de moyens de rétorsion, de dissuasion, c'est ce qui permettrait de tenir même s'il n'y avait pas d'équilibre entre l'Est et l'Ouest.

ELIE WIESEL – Y a-t-il déjà eu des déséquilibres ?

FRANÇOIS MITTERRAND – Cela n'a jamais duré plus de trois ans.

ELIE WIESEL – Au fond de vous-même, pensez-vous qu'il soit possible que la planète saute ?

FRANÇOIS MITTERRAND – Oui et non. L'arme nucléaire, aussi destructrice qu'elle soit, ne suffirait pas à tuer la terre.

ELIE WIESEL – J'ai surtout peur d'un accident. Prenez la navette Challenger. C'était un véhicule que l'on pensait être le plus fiable possible. On croyait en connaître chaque cellule, chaque fibre. Et pourtant, le pire est arrivé. Prenez la centrale atomique de Tchernobyl. Les savants russes l'avaient sans doute traitée avec le même soin que les Américains pour Challenger. Imaginez Kadhafi avec une bombe nucléaire. Moi, je pense aux enfants et à leur avenir. Nous jouons avec.

FRANÇOIS MITTERRAND – Il faut compter sur la sagesse des gouvernements et la peur de chacun. Jusqu'où la peur du nucléaire constitue-t-elle la meilleure défense ?

ELIE WIESEL – Que peut-on faire contre la guerre ?

FRANÇOIS MITTERRAND – La paix. Disposer d'une infinie patience, de ressources multiples d'imagination et d'intelligence, d'une résolution plus ferme encore. Avec cependant une réserve. Celle qu'en face d'un pays belliqueux, il faille parfois se résoudre à faire la guerre.

ELIE WIESEL – Vous imaginez-vous donnant l'ordre d'appuyer sur le bouton ?

FRANÇOIS MITTERRAND – La stratégie politique et militaire est là pour l'empêcher. Mais, parfois, je me dis : « Et si jamais... si la France est en danger de mort... ? » Alors, je disposerais de la liberté d'agir.

ELIE WIESEL – Un ami m'a dit un jour que vous auriez sept minutes pour décider de riposter. La pression psychologique serait insupportable.

FRANÇOIS MITTERRAND – Il faut que celui qui décide soit capable de décider, mais aussi d'éviter la guerre.

IV

ÉCRITURE, LITTÉRATURE

FRANÇOIS MITTERRAND — Il faut s'efforcer d'être professionnel dans son métier et de ne parler que de ce que l'on connaît. Une connaissance plus étendue, plus universelle, vient par surcroît. Certains hommes atteignent l'universel parce que leur réflexion philosophique, religieuse ou spirituelle le leur permet. Quant à embrasser l'ensemble des données du savoir, seuls quelques esprits en sont capables, mais leur mode de vie — je pense à Kant — s'en ressent et se réduit souvent à une centaine de pas sous les tilleuls chaque jour. Ce faisant, ils se coupent d'une partie du monde et du savoir, notamment de l'action, qui est une forme particulière de culture. Il existe une science de l'action : elle traite, administre, gère le fait quotidien.

ELIE WIESEL — Vous êtes, depuis toujours, sensible aux choses de l'art, vous êtes également un homme d'action. L'esthétique, chez vous, influence-t-elle l'action ?

FRANÇOIS MITTERRAND — De nombreux chefs d'État oublient cette dimension esthétique. D'autres, au contraire, par prédilection, la recherchent avec l'idée qu'elle leur permettra de mieux gouverner, de mieux contribuer au développement de la société dont ils sont responsables. Je suis, modestement, de ceux-là. Est-ce utile dans mes fonctions ? Oui, je le crois. Tout ce qui me permet de prendre de la distance sans pour autant me faire perdre le contact avec les êtres et les choses, me semble indispensable à l'action. Cette distance entre soi et soi, entre soi et les autres, entre la réflexion et l'action, permet l'observation de mouvements généraux que l'on ne comprendrait pas autrement. Le plus délicat est de trouver la juste mesure. La réussite d'une action en dépend.

ELIE WIESEL — Cependant, vous écrivez.

FRANÇOIS MITTERRAND — J'écris lorsque je ne suis pas absorbé par ma vie politique. On ne peut écrire — et vous le savez mieux que personne — sans l'unité de l'esprit, que seule rend possible l'unité de temps. Or, le plus souvent, l'action m'empêche de trouver une sérénité intérieure suffisante. L'écriture, la réflexion devant une feuille de papier, une plume à la main, exigent du temps. La fatigue, l'accumulation des responsabilités, trop d'énergie dépensée à d'autres choses font qu'il ne m'est pas toujours facile d'en dégager. Il y a un temps pour l'action et un temps pour l'écriture. Il est néanmoins possible de les réunir dans des œuvres de circonstance : allocutions, notes adressées à mes collaborateurs, préfaces à des ouvrages.

ELIE WIESEL – Pour moi – et je pense que ce sentiment est partagé –, l'écriture relève du mystère. Des mots surgissent : on les aligne, on les agence, on les dirige. Mais pourquoi tel mot plutôt que tel autre ?

FRANÇOIS MITTERRAND – On ne commence pas à écrire sans savoir de quoi l'on veut parler. Mais la façon dont on en parlera, vers quel sujet inattendu on dérivera, vous avez raison, cela reste très mystérieux. Sans doute est-ce lié aux mécanismes du cerveau, de l'intelligence, de la sensibilité, de la connaissance.

ELIE WIESEL – Autrement dit, il vous arrive de vous surprendre vous-même.

FRANÇOIS MITTERRAND – En effet, je suis souvent étonné de ce que j'ai produit et que je n'avais pas pressenti. Quand je trouve que c'est mauvais, je recommence ; et comme je suis la plupart du temps insatisfait du résultat, je travaille beaucoup.

ELIE WIESEL – Le plus difficile, est-ce de commencer ou de recommencer ?

FRANÇOIS MITTERRAND – De commencer. Une fois
que l'on est en train, que le mouvement est
lancé, cela devient parfois un plaisir, toujours un
besoin. Que de prétextes n'ai-je pas inventés, au
moment de commencer la rédaction d'un livre
(j'en ai écrit treize ou quatorze), pour ne pas
m'asseoir à ma table ! Une fois, mon regard est
retenu par les rayons de ma bibliothèque et, aussitôt, je musarde, m'attardant sur un livre d'histoire ou un livre d'art. Une autre fois, mon
chien aboie dehors et je vais voir ce qui se
passe ; mais, à peine dehors, je veux me détendre
et je pars me promener une demi-heure. Une
autre fois encore, mon stylo ne me convient
pas... Ce refus animal d'écrire peut durer des
jours. En fait, j'ai tendance à vouloir que le premier jet soit parfait, qu'il ait la même texture
que le résultat d'un long travail, de sorte que je
peux rester quatre ou cinq jours supplémentaires
à peaufiner les premières lignes de mon manus-
crit. Je crois qu'il vaut mieux dire d'abord mala-
droitement ce que l'on a mal conçu pour qu'à
partir de ce matériau, qui a le mérite d'exister,
il soit possible alors de se livrer au polissage du
texte. Le travail commence réellement pour moi
quand ce matériau imparfait a été couché sur le
papier. Alors je redeviens optimiste.

ELIE WIESEL – Le temps que l'on investit dans un travail littéraire n'est jamais perdu.

FRANÇOIS MITTERRAND – C'est vrai, car lorsque les scories tombent, il reste tout de même quelque chose. Cela dit, je ne me pose pas en écrivain. Je m'efforce simplement de connaître et de bien écrire ma langue. Si j'avais été un écrivain, j'aurais consacré ma vie à écrire ; l'action absorbant la plus grande partie de mon énergie, c'est donc que je n'en avais pas la vocation. Je ne sais pas si Balzac a eu d'autres occupations que l'écriture, mais, quand on me parle, comme vous le faites, de littérature, je crois être assez lucide sur moi-même pour savoir quelles sont mes limites.

ELIE WIESEL – Vous êtes aussi un écrivain. Et je me demande si, lorsque vous agissez, l'écrivain en vous ne réfléchit pas déjà à la manière dont cette action sera racontée.

FRANÇOIS MITTERRAND – Je suis moins porté sur mes mémoires que sur l'explication de mes actions. Je ne me vois pas rédigeant plusieurs ouvrages consacrés à ma vie et aux événements auxquels j'ai pris part. En revanche, je serais tenté de traiter, en leur donnant un éclairage personnel, quelques-unes des grandes questions que j'ai dû gérer, traçant ainsi mon portrait à travers mon action.

Cependant, une chose me préoccupe davantage : l'opinion, non de mes contemporains, mais des historiens futurs. Je ne suis pas, autant que certains de mes biographes le disent, hanté par l'Histoire, mais il est vrai que je ne suis pas insensible à cette idée. Il me semble, pour reprendre notre propos de tout à l'heure, que c'est là une distance utile. Si j'ai à traiter de la France dans l'Europe, il me faut connaître, autant que faire se peut, l'histoire des pays de l'Europe et essayer de percevoir, à travers l'évolution de ces pays, le destin de la France. Mon rôle dans cette histoire, après tout, m'importe peu.

ELIE WIESEL — Lisez-vous ce que l'on écrit sur vous ?

FRANÇOIS MITTERRAND — Ce n'est pas mon obsession. Les livres arrivent sur mon bureau sans que j'aie à les chercher. Alors j'en ouvre certains. Mais rarement.

ELIE WIESEL — Au début, je me suis dit qu'il ne fallait pas que je lise ce que l'on écrivait sur moi. De deux choses l'une : soit l'on disait du bien de moi, et cela flattait ma vanité, soit l'on me blessait, et j'en souffrais. Aussi ai-je cessé de lire les critiques. Êtes-vous sensible à la critique ?

FRANÇOIS MITTERRAND — Oui, mais la peine que je peux en éprouver, le mécontentement ou la vexation, la tristesse de ne pas avoir été compris ne durent jamais très longtemps. Le plus dur est le sentiment d'injustice. Me faire dire ce que je n'ai pas voulu dire, interpréter mon action de travers, cela déclenche parfois ma colère, cela vexe aussi mon amour-propre.

ELIE WIESEL – Avez-vous déjà eu l'envie de répondre aux critiques que vous jugiez mal fondées ?

FRANÇOIS MITTERRAND – Pas vraiment. En tout cas, je ne l'ai jamais fait.

ELIE WIESEL – Pourriez-vous me donner une définition de la littérature ?

FRANÇOIS MITTERRAND – C'est l'acte d'écrire et cela mérite le beau nom d'œuvre littéraire lorsque certaines qualités de langue, de style, de forme s'ajoutent à la qualité du fond. Je ne vous surprendrai pas en vous disant qu'il n'y a pas une, mais des littératures. Personnellement, je ne me sens pas attiré par la littérature romanesque, dont je suis pourtant un fervent lecteur. Beaucoup d'écrivains, qui auraient pu être de grands écrivains, se sont trompés de genre : ils se sont obstinés à écrire des tragédies quand ils auraient dû écrire des romans, des comédies quand ils auraient dû écrire des tragédies, des contes ou des fables quand ils auraient dû écrire des essais philosophiques. Se trompant sur leur vocation, ils ont raté du même coup leur destin. Les vrais, les grands écrivains, eux, trouvent naturellement leur style et le genre littéraire qui leur convient.

ELIE WIESEL — Et quel est votre genre ?

FRANÇOIS MITTERRAND — Disons que j'aime assez, quoique je sois avare de confidences, relater ma propre aventure sous des angles bien choisis et placer ma réflexion sur le champ de l'histoire que je vis. De ce point de vue, l'analyse politique, l'essai me conviennent. Quand j'écris, j'essaie de réagir vis-à-vis de mon attitude à l'égard de l'Histoire ; mes sensibilités, mon expérience vécue, ma façon de comprendre et de ressentir les choses s'y trouvent donc mêlées. Une colline, une rivière, des arbres le long de cette rivière, une certaine lumière dans le ciel me racontent la France avec la même force qu'un débat entre Clemenceau et Poincaré.

ELIE WIESEL — Vous avez écrit, dans *Ma part de vérité*, trente pages à peu près autobiographiques...

FRANÇOIS MITTERRAND — C'est vrai. Je voulais expliquer, aussi exactement que possible, quelle était ma famille et comment j'avais vécu mon enfance. L'exactitude d'expression est, à mon sens, une exigence en littérature. Et il n'est pas besoin forcément, pour trouver le mot juste, d'être clair : le mystère, l'obscurité des *Chants de Maldoror* me semblent un bon exemple de littérature exacte. Même si le récit paraît s'écarter des normes de pensée ou de sensibilité, le mot colle exactement à la pensée, à la sensation. Il n'y a pas pour moi de plus belle littérature que celle-là. Quand une pierre est plate, l'écrivain doit dire qu'elle est plate ; si un minerai a telle couleur, il doit le dire, un animal ou une plante tel nom, il doit également dire. C'est pourquoi je suis sensible au Nouveau Roman, dont les récits sont généralement peu palpitants. Chaque chose porte un nom qu'il faut connaître et employer, mais sans prétention, car l'excès d'exactitude, un vocabulaire riche conduisent à un amphigouri déplaisant. J'ai horreur de ces écrivains qui recherchent à tout prix le mot rare – qui n'est pas toujours le mot exact : précieux, allusif, il correspond à un moment passé de l'histoire du langage, mais il est inexact par rapport à la façon dont, aujourd'hui, on l'emploie.

ELIE WIESEL – Les mots précieux aujourd'hui ne l'étaient pas il y a deux cents ans.

FRANÇOIS MITTERRAND – La philologie – l'histoire des mots – est une science à connaître ; du reste, elle me passionne. Tel mot vient du latin, tel autre du celte ou de l'époque des invasions germaniques. Le sens des mots varie au cours de son histoire. Je trouve amusant, même si cela n'est pas de la littérature, de reconstituer un dialogue ou une description typique du XVI<sup>e</sup> siècle, en n'employant que des mots que les gens comprennent aujourd'hui.

ELIE WIESEL – Seriez-vous un puriste du langage ?

FRANÇOIS MITTERRAND – J'aime qu'un mot soit exactement employé à une époque donnée. Cela n'empêche pas, de temps en temps, de se permettre le luxe d'un archaïsme, d'une tournure audacieuse, de quelques mots anglais ou franglais, d'un peu d'argot. Certains écrivains maîtrisent parfaitement l'argot et leur niveau d'expression est très élevé.

ELIE WIESEL – Vous avez étudié le latin, l'histoire, les lettres. Est-ce que cet apprentissage vous a été utile pour la formation de l'esprit ? Quelle a été l'influence de Cicéron sur votre style d'orateur, de Tacite sur votre don d'orateur ?

FRANÇOIS MITTERRAND – Oui. J'aimais beaucoup le latin, qui a beaucoup contribué à la formation ou à la déformation de mon style, au point même qu'aujourd'hui j'aurais tendance à déplorer que le latin fût si peu enseigné, parce qu'il me semble que le français, proche dans son rythme du rythme latin et dont nombre de mots trouvent leurs racines dans le latin, a été déconnecté de ses origines et s'est ainsi appauvri. Je reconnais qu'il est

très difficile de continuer à généraliser un enseignement dont l'utilité matérielle ne paraît pas
évidente à beaucoup d'enfants, mais enfin,
puisque vous me parlez de moi, voilà ce que je
ressens. J'étais un bon élève en français, en histoire, en géographie, mais je n'étais pas très fort
en latin. J'avais tendance à extrapoler dans les
versions et j'éprouvais des difficultés à réussir les
thèmes. Je me repaissais en revanche de prosodie.
J'apprenais par cœur des passages entiers d'Horace
ou de Virgile, je les décomposais, je les décou-
pais d'après les rythmes latins presque mécani-
quement. Tous mes livres étaient abîmés par
mon écriture avec des traits horizontaux et des
traits verticaux pour marquer le rythme de la
prosodie. J'y passais des soirées, par jeu. Je répé-
tais les vers latins sans toujours bien les
comprendre d'après ce rythme-là.

ELIE WIESEL – Vos discours politiques s'en res-
sentent-ils aujourd'hui ?

FRANÇOIS MITTERRAND – C'est possible.

ELIE WIESEL – Il y a une belle formule de Giaco-
metti : « Mon rêve, c'est de sculpter un buste si
petit que je pourrais le mettre dans une boîte
d'allumettes qui serait tellement lourde que personne ne parviendrait à la soulever. » N'est-ce pas

la même chose pour un livre ? Il faudrait que chaque livre soit bref, si vrai et si pur qu'on puisse le faire tenir dans la paume d'une main, dans un regard.

FRANÇOIS MITTERRAND – On me prête souvent un goût immodéré pour Chardonne ; c'est vrai que, dans sa concision toute française, il avait un grand style. Mais la profusion de Tolstoï me plaît également : il ne cherchait pas à ce que chaque page de *Guerre et paix* pèse deux cents tonnes. Cependant, c'est un livre de poids dans tous les sens du terme.

ELIE WIESEL – D'habitude, on oppose Tolstoï à Dostoïevski.

FRANÇOIS MITTERRAND – Quand on me demandait, il y a quarante ans, quel était le plus beau livre que j'avais lu, je répondais : *Les Frères Karamazov*. À présent, je préfère certains livres de Tolstoï.

ELIE WIESEL – Pour revenir à l'écriture proprement dite, je sais que, pour moi, le moment le plus difficile est celui qui précède le moment où je vais commencer à écrire. Pourquoi ? Parce que si j'ai la première phrase, j'ai la première page, elle contient tout le livre. Est-ce la même chose pour vous ?

FRANÇOIS MITTERRAND – J'éprouve, il est vrai, avec la première phrase, le sentiment d'être lancé dans l'écriture, d'avoir gagné le pari d'écrire. Mais je n'irai pas jusqu'à dire, même si c'est une belle image, que cette première phrase contient la première page qui, elle-même, contient le livre entier. Peut-être, justement, parce que je ne suis pas un écrivain professionnel.

ELIE WIESEL – Un livre, c'est un tout.

FRANÇOIS MITTERRAND – Souvent, en tant que lecteur, je discerne la qualité d'un livre à sa première phrase, à une musique, une pensée, un élan tout particulier.

ELIE WIESEL – J'ai connu un écrivain yiddish qui se prenait pour le prince des écrivains. C'était un grand bonhomme, il écrivait en hébreu et en yiddish, il avait beaucoup d'influence. J'étais très jeune, à l'époque où je l'ai rencontré. Il m'a dit : « Jeune homme, un jour vous écrirez. Un écrivain, c'est un cocher qui conduit un fiacre. Et que fait un cocher lorsqu'il entre dans un village ? Il frappe du fouet pour que l'on sache qu'il est arrivé. Et que fait-il d'autre ? Il frappe encore du fouet pour que l'on sache qu'il repart. Entre ces deux moments, il peut faire ce qu'il veut, aller où il veut. Eh bien, dans un livre, c'est pareil : le premier et le dernier coup de fouet sont importants. Entre les deux, tout est possible. » Ces paroles m'ont marqué. Avoir le mot de la fin, c'est cela. Il contient tous ceux qui l'ont précédé.

FRANÇOIS MITTERRAND – Mais le coup de fouet ne sert pas seulement à prévenir les gens du village, il prépare aussi le cheval... Et le cheval est plus utile que le fouet ou le cocher. Il n'a pas envie d'avancer, ensuite il ne veut plus s'arrêter... C'est terrible : on peut en avoir beaucoup dit, on a toujours autre chose à ajouter, ou à mieux formuler.

ELIE WIESEL – Je connais une magnifique histoire de cheval. Je vous la raconte. Un jour, une femme me téléphone pour m'inviter à prononcer une conférence. Pendant notre conversation, il m'apparaît qu'il y a erreur sur la personne, que jamais cette femme n'a lu un seul de mes livres. Je me dis alors : « Mettons ces gens à l'épreuve. » Il est prévu que je parle de l'un de mes livres. Mais au lieu de cela, j'invente une tout autre histoire, complètement farfelue, je change l'époque, je travestis mes héros. En mon for intérieur, je suis persuadé que, dans l'auditoire, une personne va se lever pour m'interrompre et me dire : « Ce n'est pas le roman que nous avons lu. » Mais non, chacun écoute. Au bout de trois quarts d'heure, ma conférence se termine. La femme, qui présidait la séance, demande s'il y a des questions. Oui, il y en a. Moi, je me dis : « Enfin, quelqu'un va réagir. » Eh bien, les questions concernaient le roman que je venais d'inventer ! « Nous avons lu votre livre, me disait-on, il est magnifique. » Et chacun de parler de cette histoire que je venais d'inventer comme s'il s'agissait réellement de mon roman... À la fin, j'ai pris à part la femme qui m'avait invité et je lui ai raconté l'histoire suivante. Un rabbin doit assister à une cérémonie religieuse. Il avise un cocher dont le fiacre est tiré par un cheval maigre et malade, et lui demande de l'emmener. À la sortie du village, le fiacre doit franchir une colline. Le cocher s'arrête et dit au rabbin : « Écoutez, mon cheval est tellement faible qu'il ne peut tirer le fiacre. Sortons de la voiture et poussons pour aider le cheval. » Le rabbin sort, il pousse la voiture, le cocher l'aide. Ensemble, ils franchissent la colline. Ils continuent de pousser jusqu'au village où le rabbin doit se rendre. Alors, le rabbin se tourne vers le cocher et lui dit : « Je comprends la raison de votre présence : vous devez gagner de l'argent. Je comprends la raison de ma présence : je suis invité à une cérémonie. Mais il y a une chose que je ne comprends pas : pourquoi avons-nous emmené le cheval ? » Eh bien, moi, dans les romans, j'éprouve parfois le même sentiment.

Certains écrivains sont entrés en littérature par adoration. D'autres l'ont fait, je pense, par colère. Pour ma part, je voulais témoigner ma reconnaissance envers mon peuple et son histoire. La reconnaissance est une vertu cardinale dans la vie et en littérature.

FRANÇOIS MITTERRAND – Pour moi, l'essentiel n'était pas de témoigner. J'avais aussi ce désir, bien sûr, mais il était secondaire. Vous savez, les premiers livres naissent souvent d'une impulsion. Et moi, j'avais d'abord besoin d'expliquer mon époque à mes contemporains. Je voulais traiter l'ensemble des problèmes de la décolonisation et, à travers ces problèmes, démontrer, prouver, convaincre.

ELIE WIESEL – Sur quel terrain vous placiez-vous ?

FRANÇOIS MITTERRAND – Celui de la politique. J'essayais de comprendre l'enchaînement des événements à travers les passions des hommes de mon temps.

ELIE WIESEL – Pour convaincre, vous vous êtes fait écrivain. Mais vous étiez aussi tribun. De la parole ou de la plume, laquelle vous a le mieux servi pour arriver à vos fins ?

FRANÇOIS MITTERRAND – Si je n'ai pas toujours convaincu, du moins ai-je élargi le cercle de ceux qui vibrent aux mêmes choses que moi. J'ai écrit ; j'ai beaucoup plus parlé. Sans doute parce que entre l'acte de penser et celui d'écrire il y a un immense fossé et que parler semble plus facile. Entre le moment où une pulsion nous pousse à écrire et celui où l'on écrit, la pensée se glace, les choses se figent et perdent de leur éclat. Toute la difficulté consiste à retrouver, par le travail et la réflexion, cet éclat. Cela n'est possible que dans la sérénité, la paix avec soi-même.

ELIE WIESEL — C'est le créateur qui parle...

FRANÇOIS MITTERRAND — Je n'emploierais pas exactement ce terme, car les véritables créateurs sont ceux qui, précisément, créent des mondes, des systèmes de pensée. L'œuvre écrite, parce qu'elle extirpe de l'informe une forme, est, certes, une création, mais il y a des degrés : entre l'amibe et l'homme, j'ai le sentiment de me situer plus près de l'amibe que de la création achevée.

ELIE WIESEL — Avez-vous jamais eu l'envie d'écrire une œuvre de fiction : un roman, un conte, une nouvelle ?

FRANÇOIS MITTERRAND — Ramasser dans un récit bref certaines expériences, certaines scènes de ma vie qui comportent un enseignement me tenterait, mais bâtir autour une œuvre littéraire romanesque, avec une part importante d'imagination, cela, non, je n'en ai jamais eu envie.

ELIE WIESEL – Il existe une très belle et inquiétante légende qui dit que Moïse reçut le don de remonter le temps et de pouvoir suivre, deux mille ans plus tard, le cours d'un sage consacré à la Thora. À la fin du cours, Moïse sortit dans un état proche de l'abattement, car il n'avait rien compris de ce que le sage avait expliqué. Pourtant, cela le concernait en premier lieu, puisqu'on parlait de son propre Livre. Je crois qu'il en va de même pour tous les écrivains : vous lisez parfois des critiques auxquelles vous ne comprenez absolument rien alors que vous en êtes le sujet. Or, si vous cherchez à convaincre, c'est que votre projet d'écriture est porteur d'un message que vous voulez faire passer.

FRANÇOIS MITTERRAND – Ordinairement, l'écrivain jouit du prestige de la maîtrise de sa propre expression. Son rôle devient délicat si la littérature qu'il prône n'est pas conforme au goût dominant de la société. L'écrivain est, selon les cas, un grand prêtre ou un paria.

ELIE WIESEL – C'est peut-être le rôle de l'écrivain que d'être un paria ?

FRANÇOIS MITTERRAND – Parmi les écrivains, beaucoup sont des écrivains officiels et nombreux sont ceux qui, une fois fortune faite, ne le seront jamais. Victor Hugo eut beau être exilé, il ne fut jamais un paria.

ELIE WIESEL − Hugo était un auteur de *best-sellers* : ses poèmes se vendaient à cent mille exemplaires ! Il tirait, lui, la puissance de son expression de la communauté dans laquelle il vivait et intervenait publiquement ; mais pour d'autres, au contraire, s'opposer à la Cité est une condition d'écriture.

FRANÇOIS MITTERRAND − Il existe tellement de familles, en littérature, qu'il me semble difficile de définir une loi générale.

ELIE WIESEL − Quelles sont vos préférences ?

FRANÇOIS MITTERRAND − Je suis très éclectique dans mes lectures. À vingt ans, la littérature d'action, dont Malraux fut le prototype, me séduisait ; quinze ans plus tard, je me suis rendu compte que c'était du carton-pâte : un faux témoin avait raconté de fausses actions.

ELIE WIESEL − Malraux est tout de même un grand écrivain ! Il y a un style Malraux, un univers Malraux...

FRANÇOIS MITTERRAND − Un homme hors du commun, certainement, mais un grand écrivain, c'est plus discutable. *La Condition humaine* a marqué une génération, mais c'est déjà un roman du passé ; *L'Espoir*, au contraire, a laissé une trace qui dure. Cela dit, même s'il y a un message, j'aimerais convaincre mon lecteur de la beauté, de la réalité d'un paysage, traduire et communiquer littérairement, par le biais de la description, l'essentiel de ce que j'ai moi-même perçu.

ELIE WIESEL – Lorsque vous vous relisez, avez-vous le sentiment d'avoir traduit cette beauté ?

FRANÇOIS MITTERRAND – Il m'est arrivé d'éprouver ce sentiment-là. Au moment d'écrire, j'ai comme un sixième sens qui fait que je sais ce qui ne tient pas la route. Je ne publie généralement que des textes que je juge achevés.

ELIE WIESEL – Quel est le premier roman que vous ayez lu ?

FRANÇOIS MITTERRAND – Il m'est impossible de vous répondre avec précision. Il y avait chez moi une bibliothèque des grands auteurs de la deuxième moitié du XIX$^e$ siècle où l'on trouvait peu de romans de Zola, mais beaucoup de Paul Bourget. J'ai dû commencer par lire les auteurs qu'on me mettait sous la main : Balzac, Stendhal, Flaubert. Puis, dans les années trente, j'ai opéré des choix grâce à la NRF qui signalait les ouvrages de Gide, Montherlant, Bernanos, Claudel, Mauriac, Drieu la Rochelle...

ELIE WIESEL – N'avez-vous pas, honnêtement, une prédilection pour certaines formes de littérature plutôt que pour d'autres ?

180

FRANÇOIS MITTERRAND — Sans doute. Mais je lis ce qui me tombe sous la main ou ce qui, pour des raisons que j'ignore, provoque en moi un déclic, soit parce que le livre est bien présenté, soit parce que le caractère typographique me plaît, ou bien encore parce qu'en feuilletant le livre je suis arrêté par une très belle image, une très belle phrase. Je lis, pourrait-on dire, par hasard : mes choix restent, le plus souvent, soumis à des impulsions. Il n'est pas rare, par exemple, qu'en sortant d'une librairie j'aie en main un ouvrage que je n'avais pas prévu d'acheter.

ELIE WIESEL — Qu'avez-vous lu d'autre ?

FRANÇOIS MITTERRAND — Dans ma jeunesse, quand la mode était aux romans anglais, je lisais Rosamonde Lehmann ou Charles Morgan. Plus tard, j'ai découvert Faulkner, Hemingway. Et plus tard — et c'est tellement mieux –, Joyce. J'ai aussi un grand faible pour Styron. Mais je dévorais aussi Balzac, Stendhal, Flaubert, Chateaubriand, bref je le répète, ce qui se trouvait sur les rayons de la bibliothèque familiale.

ELIE WIESEL — En dehors des livres religieux, dont je suis imprégné, certains livres m'ont marqué. Ceux de Kafka, dont je me sens extrêmement proche — à tel point que je considère qu'il y a un

monde avant lui, et un monde après lui. Ceux de
Dostoïevski, également.

FRANÇOIS MITTERRAND – Un autre livre a compté,
aux antipodes, par son style, son volume et son
type de préoccupation, des *Frères Karamazov* : c'est
*La Porte étroite* d'André Gide.

ELIE WIESEL – Et *Le Château* ? La première fois que
j'ai lu Kafka – je m'en souviens parfaitement –,
c'était la nuit. Au petit matin, j'ai entendu les
éboueurs dans la rue et j'ai eu envie de sortir et de
leur serrer la main, de les remercier de m'avoir rappelé, en faisant du bruit, qu'un autre monde que
celui de Kafka existait. Pourtant, Kafka était
convaincu d'écrire des comédies : il lisait ses romans
à ses amis en se tordant de rire ; mais ne sont-ils pas
des plus tragiques ? Son rêve était de partir en Pales-
tine et d'y travailler comme garçon de café. Sa dernière parole a été de dire à son médecin : « Si vous
ne me tuez pas, vous êtes un assassin. »

FRANÇOIS MITTERRAND – Souffrait-il à ce point ?

ELIE WIESEL – Il était tuberculeux ; la mort l'a
emporté alors qu'il était encore tout jeune. Saviez-
vous qu'il écrivait presque quotidiennement à sa
sœur ? Eh bien, aucune des lettres ne parle de la
guerre ! Pourtant, Kafka est l'un des grands témoins
de ce siècle : en 1914, il a vécu la guerre, vu les blessés

– mais pas un mot de cela dans ses lettres... Nous avons aujourd'hui, nous, les écrivains, une responsabilité très lourde : nous ne pouvons plus, comme auparavant, dire impunément n'importe quoi.

FRANÇOIS MITTERRAND – Certes, mais remarquez que, de tout temps, les écrivains engagés ont pour la plupart subi la sanction de l'événement : en 1945, ce sont eux que l'on a fusillés, non ceux qui avaient participé à la construction du mur de l'Atlantique. Il est vrai que la responsabilité de l'intellectuel est plus grande que celle du financier ou de l'entrepreneur.

ELIE WIESEL – En Union soviétique, ce sont également eux que l'on a exécutés avant 1936 ou en 1952.

FRANÇOIS MITTERRAND – Cela ne date pas d'hier. Cicéron et Sénèque – pour ne citer que ceux-là – ont été contraints de se suicider.

ELIE WIESEL – Le suicide était, chez les Romains, une sorte de coutume. L'exemple de Socrate, en dépit du fait qu'il avait la possibilité de choisir l'exil, me semble plus judicieux.

FRANÇOIS MITTERRAND – Tous avaient exprimé des idées non conformistes : l'écrivain prend un risque lorsqu'il écrit.

ELIE WIESEL – En écrivant, avez-vous l'impression comme moi, parfois, que l'essentiel n'a pas été dit ?

FRANÇOIS MITTERRAND – Si l'essentiel de mon propos n'a pas été dit, je continue de travailler. Mais je n'éprouve aucun remords, en considérant ce que j'en attendais, d'avoir écrit les livres que j'ai écrits. Quant à dire qu'il s'agit d'œuvres achevées, il faudrait une présomption que je n'ai pas.

ELIE WIESEL – J'ai, pour ma part, écrit une trentaine de livres et, souvent, j'ai l'impression de ne pas avoir encore commencé.

FRANÇOIS MITTERRAND – Sans doute avez-vous une très haute exigence. Cependant, si vous cherchez une explication du monde, il y a de fortes chances pour que vous mouriez insatisfait.

ELIE WIESEL – Tout dépend de qui se tient derrière mes épaules pour lire. Quelle place accordez-vous au silence ?

FRANÇOIS MITTERRAND – C'est un bon auxiliaire, nécessaire au-dedans de soi, secondaire à l'extérieur de soi. Il faut, pour écrire, se constituer une unité intérieure autour du silence. Il peut y avoir du bruit à l'extérieur, ce n'est pas gênant ; mais si l'on est traversé par de multiples passions, il est impossible d'écrire.

ELIE WIESEL – Opposez-vous le silence à la parole ?

FRANÇOIS MITTERRAND – Non, les deux sont complémentaires.

ELIE WIESEL – Le silence se trouve-t-il dans la parole ?

FRANÇOIS MITTERRAND – Oui. Il faut des temps de respiration. Le silence donne au lecteur le temps de se retrouver, de réfléchir.

ELIE WIESEL – Pensez-vous que la littérature française, en ce moment, se porte bien ?

FRANÇOIS MITTERRAND – Dans l'ensemble, oui ; mais pas la littérature romanesque. Peu de romanciers, à l'heure actuelle, peuvent prétendre à l'universalité d'un Fernand Braudel ou d'un Claude Lévi-Strauss.

ELIE WIESEL – Mais, vous-même, qui admirez-vous ?

FRANÇOIS MITTERRAND – Peu de gens dans le domaine politique, davantage dans celui de l'art, de l'esprit, de la philosophie.

ELIE WIESEL – Pourquoi faites-vous cette distinction entre l'artiste d'un côté, et le politique de l'autre ? Le monde culturel est tout autant traversé de crises, de jalousies et de haines que le monde politique. C'est autant un monde de pouvoir.

FRANÇOIS MITTERRAND – Je connais le milieu politique, moins celui des artistes...

ELIE WIESEL — Qu'admirez-vous chez eux ? Le pouvoir créateur ?

FRANÇOIS MITTERRAND — Oui, le don de créer un tableau pour un peintre, une symphonie pour un compositeur, une sculpture ou un système philosophique capables de transporter les sens et l'intelligence d'autrui. Pour moi, c'est un peu de la magie.

ELIE WIESEL — J'écris des livres, le peintre fait des tableaux, le musicien compose... Mais combien le romancier a-t-il de lecteurs aujourd'hui, et le musicien d'auditeurs ? Finalement très peu. Tandis que vous, les politiques, vous travaillez pour des millions d'hommes et de femmes. Pourquoi ne pas reconnaître cette dimension créatrice de la politique ? Vous-même, vous avez accordé une place prépondérante à la culture, vous avez mis en œuvre de grands travaux : le Grand Louvre, l'Opéra de la Bastille, l'Arche de la Défense et, surtout, la Bibliothèque nationale de France.

FRANÇOIS MITTERRAND — Absolument. J'ai essayé de faire en sorte que ces constructions soient significatives. Mais cela fait partie du rôle politique que je me suis assigné. Cela donne un sens à mon action, en tout cas cela insuffle une poésie que je ne trouve pas toujours dans la loi.

V

POUVOIR

ELIE WIESEL – Le pouvoir fascine... Pourquoi le cherche-t-on ? Qu'est-ce qu'il apporte ? Quels sont ses buts, ses pièges ? Quelle définition en donne-riez-vous ?

FRANÇOIS MITTERRAND – Celle du dictionnaire. On en retient l'essentiel, que le pouvoir revêt mille formes. Il affecte l'individu dans sa vie privée, au sein de la structure familiale ; il est présent dans la Cité, du village à la mégapole ; il se manifeste dans la Nation ; mais il est aussi celui de l'esprit, à travers l'enseignement, l'écriture, les arts... Il s'agit toujours de la faculté accordée à un individu ou à un groupe d'individus d'imprimer leur volonté et leurs propres conceptions à un ensemble plus vaste, d'orienter le destin d'une collectivité.

ELIE WIESEL – Implique-t-il la supériorité, la domi-nation d'un individu sur les autres ?

FRANÇOIS MITTERRAND – Je dirais plutôt qu'il faut un don particulier pour exercer le pouvoir. Est-ce

MÉMOIRE À DEUX VOIX

pour autant la marque d'une supériorité ? Dans le cas de la vie quotidienne et de la marche des sociétés, peut-être ? Mais celui qui exerce le pouvoir n'est pas forcément meilleur que les autres ; simplement, il est plus apte que les autres à remplir cette fonction. C'est une question de capacité.

ELIE WIESEL – Qu'est-ce qui rend puissant l'homme de pouvoir ?

FRANÇOIS MITTERRAND – Comme je vous l'ai dit : les dons de l'esprit lorsqu'il s'agit d'enseignement, d'écriture, d'art, dans la mesure où il exprime exactement, à un moment donné, le sentiment, le besoin obscur d'une Nation ; et si l'on considère l'organisation sociale, il est celui qui se trouve disposer des leviers de commande : l'État, l'Administration, et qui reçoit l'onction de l'élection dans un régime démocratique.

ELIE WIESEL – Le pouvoir de l'artiste, celui de Goethe ou de Goya, est-il comparable au pouvoir d'un Président ?

FRANÇOIS MITTERRAND – Ce sont des formes de pouvoir différentes. La plus noble, si l'on veut établir une hiérarchie de ces formes, est celle qui consiste à disposer d'un pouvoir par la seule force de l'esprit et de sa création. Ensuite, on trouve, plus visible et immédiatement reconnue, la puissance politique, économique ou sociale.

ELIE WIESEL — On connaît ce pouvoir-là.

FRANÇOIS MITTERRAND — Le pouvoir des thaumaturges, celui des *leaders* d'opinion, est mystérieux. Au Moyen Âge, Vincent, Ferrier, Abélard ou Bernard pouvaient drainer d'immenses foules. Beaucoup plus tard, il y a eu Gambetta, Jaurès, Lénine.

ELIE WIESEL — Le pouvoir ne comporte-t-il pas une part d'illusion ?

FRANÇOIS MITTERRAND — Le pouvoir politique ne repose pas sur l'illusion qu'il crée, mais sur l'espérance qu'il incarne et qui peut, elle, être illusoire. Quant à l'illusion du pouvoir, il s'agit d'une notion philosophique. Il est certain que tout pouvoir est dérisoire, comparé au destin de l'individu. Une chose est sûre : quand on peut séparer des gens qui s'aiment ou détruire un peuple, ce pouvoir n'est pas illusoire. Je crois que le pouvoir est toujours redoutable. Celui qui le détient doit, sinon avoir peur, du moins être extraordinairement vigilant sur la nature et l'étendue de son propre rôle. S'il est sage, il recherchera des contre-pouvoirs. Quand on subit un pouvoir, on essaie de s'organiser pour en supporter les excès. C'est pourquoi la philosophie politique s'est peu à peu orientée vers une conception à l'usage de la démocratie : séparer les pouvoirs pour les contrôler ; décentraliser pour mieux les distribuer. Les organisations syndicales représentent également, dans le domaine économique et social, un contre-pouvoir important ; de même, en art, il est nécessaire de briser, de temps en temps, les conformismes, les académismes, en laissant s'exprimer de nouvelles écoles de pensée qui, soudain, provoquent une cassure dans les modes d'expression, les styles.

ELIE WIESEL – Quel est donc le vrai pouvoir ?

FRANÇOIS MITTERRAND – La réponse est dans l'Histoire. Je pense à de grands agitateurs, Étienne Marcel ou Spartacus, que le pouvoir établi a vaincus ; et à d'autres, comme Lénine, qui l'ont emporté. Le Christ était, lui aussi, considéré, par les instances politiques, comme un agitateur ; il en est mort. Sa revanche fut posthume : de sa personne et de son enseignement est née l'Église, dont on ne peut pas dire que le pouvoir fût mince. De la part d'un petit agitateur de canton, ce n'était pas mal ! On croyait qu'il avait perdu, finalement, il a gagné.

ELIE WIESEL – Moi, cela me fait penser à Moïse et à Socrate.

FRANÇOIS MITTERRAND – Dans le cas de Socrate, comme dans celui du Christ, je remarque que ni l'un ni l'autre, contrairement à la plupart des agitateurs, n'ont voulu du pouvoir politique : ils s'exprimaient par une idée, un projet, une morale, un sacrifice. Cependant, une institution est née de l'enseignement du Christ et c'est alors qu'il y a eu prise de pouvoir – une prise tardive, dirais-je, par personnes interposées. Socrate, lui, est resté dans le domaine strict de la pensée.

ELIE WIESEL – Le pouvoir de Socrate, c'est Platon. Moi, je parle du pouvoir de l'individu : celui du prêtre, du prophète, du roi. Des trois, le prophète me paraît le plus agitateur, le plus individualiste, car il ne représentait rien. Il n'avait aucun appui, ni venant du peuple, ni venant du roi ; et pourtant, de cette époque-là, seule demeure sa parole.

FRANÇOIS MITTERRAND – Parfois, le peuple se range du côté du prophète.

ELIE WIESEL – Pensez-vous que le pouvoir politique, aujourd'hui, ait besoin de contre-pouvoir ?

FRANÇOIS MITTERRAND – Absolument. S'il doit y avoir un réel pouvoir sur une société donnée, il doit aussi exister des contre-pouvoirs pour limiter – et non détruire – l'action de ce pouvoir. Tout homme va toujours au bout de son pouvoir, qu'il s'agisse de l'exécutif, du législatif, du judiciaire ou de la presse. Il faut donc trouver des garde-fous, parvenir à un juste équilibre.

ELIE WIESEL – Ce que vous avez écrit sur le stalag m'a beaucoup ému. Vous parlez notamment d'un homme, un charpentier allemand de Thuringe, qui, tout à coup, est devenu votre maître. Il possédait un pouvoir.

FRANÇOIS MITTERRAND – À un moment de ma vie, on l'a dit, j'ai été prisonnier de guerre. J'étais, toute proportion gardée, comme ces esclaves dont on soupèse les muscles sur le marché. Le charpentier, sans pour autant me considérer comme un esclave, m'a choisi parmi d'autres. Pour dire la vérité, je n'ai pas trouvé désagréable d'être emmené, chaque jour, par des gardes armés dans un atelier qui sentait le bois, la sciure, qui résonnait du bruit des machines. Mon arrière-grand-père ayant été marchand de bois, j'avais déjà tout cela dans l'œil, dans l'oreille. Le charpentier avait d'énormes crayons, longs et plats, dont les artisans se servent pour marquer leurs mesures et dessiner les pièces à découper. C'était un brave homme ; à ses yeux, j'étais davantage un compagnon qu'un aide-manœuvre. Obsédé par Napoléon, lorsqu'il m'écrivait quelque chose sur une planche, il indiquait des dates, celles d'Austerlitz, d'Iéna, du mariage de Marie-Louise ; chez lui, il avait une collection de photographies qu'il avait recueillies au hasard de ses lectures de journaux et de revues.

ELIE WIESEL – Ne ressentiez-vous pas tout de même, en dépit de cette sympathie, un sentiment d'impuissance ?

FRANÇOIS MITTERRAND – Le pouvoir du charpentier est l'un de ceux qui m'ont le moins fait souffrir. En prison, en mars 1941, j'ai connu un isolement terrible. Je me disais : « Nous sommes en 1941, je me trouve dans une cellule, dans une prison médiévale, au cœur de l'Allemagne, sous le régime d'un homme, Hitler, qui domine l'Europe et qui annonce – les Russes n'étaient pas encore entrés dans la guerre – que cette Europe durera mille ans. Ma famille ne connaît pas mon adresse et l'armée à laquelle j'appartiens m'a perdu de vue. Mes camarades de camp aussi. Dans la ville où je suis, mis à part un geôlier, un gendarme peut-être, on ignore mon existence. » Je n'avais rien d'autre à lire que le missel de mon camarade d'évasion. C'était ma seule relation sociale. Je lisais des psaumes pour occuper mon temps en m'efforçant de me souvenir de mon latin.

Jamais je ne connaîtrai un dénuement, un isolement pareils, d'autant que rien ne me disait que cela ne durerait pas toute ma vie.

Mais j'avais également confiance. L'une des grandes incapacités de l'homme est d'imaginer l'avenir : on le voit toujours à l'image du présent. Quelquefois, cela part d'un sentiment noble : dans le cas d'un chagrin, d'un deuil, notre peine s'accroît à la seule pensée qu'elle puisse, un jour, être moins forte, moins intense ; on sent bien, instinctivement, que le bonheur est fugace. Mais considérez une autre situation : une déception, par exemple, dans la carrière que vous avez choisie. Vous vous sentez discrédité, mis à l'écart ; vous avez l'impression que c'est irréversible et vous vous laissez aller – alors que la vie, en réalité, est toute-puissante et que le lendemain matin, la semaine suivante, ou bien, pour ceux qui sont patients, un an, deux ans après, les pièces du puzzle changent de place. C'est mon tempérament – on dira que je suis optimiste : jamais je n'ai cru qu'un obstacle de cet ordre était insurmontable.

L'homme étant conservateur, il n'est pas porté à s'abstraire des données du présent. Il devrait faire plus confiance à son instinct, à l'extraordinaire faculté qu'a la vie de changer d'elle-même et, par conséquent, de vous changer en même temps.

ELIE WIESEL – Moi, c'est le passé que je n'arrive pas à imaginer.

POUVOIR

FRANÇOIS MITTERRAND – Celui que vous avez vécu, voilé de sang et de morts, a été marqué par des moments terrifiants. C'est un phénomène particulier, qu'ont connu, comme vous, malheureusement, des millions d'hommes, mais que la masse de l'humanité ignore. Moi-même j'y ai échappé ; je ne peux donc avoir les mêmes réflexes que vous.

ELIE WIESEL – Vous parliez de votre extrême dénuement du fait que vous vous sentiez oublié des autres ; nous aussi, nous avons ressenti l'oubli. J'étais, pour ma part, convaincu que jamais je ne survivrais à la guerre ; qu'une fois là-bas, déporté, jamais je n'en sortirais vivant. Mais je voudrais que nous revenions au pouvoir et, en particulier, à ses limites. Dieu a le pouvoir absolu et pourtant il impose de lui-même, d'après le Nouveau Livre, des limites à ce pouvoir. Qu'en est-il de l'homme ?

FRANÇOIS MITTERRAND – Laissons de côté le pouvoir créatif, celui d'un individu qui écrit, seul dans son bureau : il m'est impossible de vous affirmer que, tout à coup, se rendant compte que son génie est malfaisant, il commettra volontairement des fautes de français ! On ne peut laisser à un homme le soin de limiter de lui-même son pouvoir. Une société doit organiser ses propres structures de manière à donner des pouvoirs importants à ceux qui sont appelés à parler et agir en son nom, mais elle doit également créer, dans le cadre de ses institutions, des contre-pouvoirs. Je pense qu'une société ne peut exister que si elle s'institutionnalise : les libertés ne résistent pas à l'anarchie ou au simple bon vouloir de la multitude. Une fois que vous institutionnalisez, vous hiérarchisez les pouvoirs : pouvoir politique, syndical, économique, pouvoir culturel, pouvoir des médias – au bout du compte, si vous construisez intelligemment votre édifice, il s'équilibrera par le jeu des pouvoirs et des contre-pouvoirs. L'histoire des hommes en témoigne. Il y aura des poussées périodiques en faveur de tel ou tel pouvoir, mais, par le biais des institutions, ces pouvoirs se corrigeront d'eux-mêmes. Voilà pourquoi je crois à l'utilité des juristes. Bien sûr, en tant que président de la République, certains de mes pouvoirs ne dépendent que de ma conscience : le droit de grâce, celui de décider ou non de l'usage de l'arme atomique, celui de dissoudre l'Assemblée nationale, etc. Ce sont, cette fois, des pouvoirs sans contrôle ; ils dépendent strictement de la décision d'un seul homme face à lui-même. Lorsque je dois prendre une telle décision, personne ne peut se substituer à moi, ni même m'être secourable.

ELIE WIESEL – Cette conscience du chef d'État peut-elle s'imposer des limites ?

198

FRANÇOIS MITTERRAND – Je n'en connais que deux : la sanction populaire et le sens de son devoir.

ELIE WIESEL – Pourquoi le pouvoir créateur n'obéit-il pas aux mêmes règles ?

FRANÇOIS MITTERRAND – Parce qu'il est de nature différente. Pourquoi limiter le pouvoir d'un philosophe, par exemple ?

ELIE WIESEL – C'est pourtant ce que je fais. Il y a des choses que je ne dirai ni n'écrirai.

FRANÇOIS MITTERRAND – Quand un individu dialogue avec lui-même, seule sa conscience lui impose des limites. Il s'agit là d'un contrôle moral. Dès lors que nous parlons d'un pouvoir individuel, qui s'exprime par les voies de l'esprit, il faut bien comprendre que seul l'individu qui détient ce pouvoir a la faculté d'apprécier la limite à ne pas dépasser. Si cette limite est imposée par un ordre extérieur, c'est de la censure et c'est pire qu'un mal.

ELIE WIESEL – Vous dites que les institutions doivent garantir qu'un tyran n'imposera pas sa loi. Mais comment reconnaître qu'à un moment donné le pouvoir en place se transforme en tyrannie ?

FRANÇOIS MITTERRAND – On juge un pouvoir à ses actes. Jusqu'à la naissance de la démocratie et ses récents progrès, leur mode de vie en société conduisait les hommes à laisser la totalité du pouvoir à une seule personne dotée d'un pouvoir absolu.

ELIE WIESEL – Y a-t-il une différence de degré ou de substance entre le pouvoir absolu, détenu par une seule personne et celui qui repose entre les mains d'un groupe d'individus ?

FRANÇOIS MITTERRAND – Non. Ils sont de même nature. Et cela qu'il s'agisse d'un parti, d'une Église, d'un clan ou d'une ethnie. D'ailleurs, ce groupe obéit généralement à un pouvoir interne souvent représenté par un individu. Il est assez rare qu'il n'en soit pas ainsi : les Dix à Venise fournissent un modèle de décision collective.

ELIE WIESEL – Si un pouvoir se juge à ses actes, il doit y avoir de bons et de mauvais actes, les bons étant ceux que le peuple accepte.

FRANÇOIS MITTERRAND – On ne peut pas prédire qu'une action sera bonne ou mauvaise ; on ne peut qu'en attendre les effets et, alors, juger : ou bien les souffrances de l'humanité sont accrues, ou bien elles ont été réduites parce qu'on a réussi à créer les conditions d'un peu plus de joie, de liberté, d'équilibre, de réflexion, de savoir. Nous n'avons pas d'autre critère pour juger un pouvoir que d'en constater les effets. Quand les institutions poussent au crime, il faut les réformer. Un pouvoir absolu, échappant donc au jeu des contre-pouvoirs, peut avoir de bonnes intentions au moment où il se met en place, mais le dictateur finit par ne plus connaître les limites de son pouvoir et commet alors des actes arbitraires.

ELIE WIESEL – Je songe au poste que vous avez occupé en 1944, après la libération de Paris : vous étiez secrétaire général aux Prisonniers de guerre et vous aviez un pouvoir.

FRANÇOIS MITTERRAND – J'appartenais à une équipe d'hommes chargés de tenir la légitimité, en théorie sur l'ensemble du territoire français, en pratique à Paris et dans quelques provinces libérées. Mon pouvoir était un pouvoir par délégation ; la décision en revenait au général de Gaulle et au Comité de libération d'Alger. Mais comme nous étions séparés d'eux physiquement, nous étions contraints d'improviser, de décider nous-mêmes. Cela n'a pas duré longtemps.

ELIE WIESEL – S'agissait-il d'un pouvoir analogue à celui que vous détenez aujourd'hui ?

FRANÇOIS MITTERRAND – Non. Nous étions quinze et j'étais le plus jeune, sans doute le plus marginal. Je ne communiquais même pas directement avec

201

de Gaulle et Alger. C'est en 1981 que j'ai commencé à détenir un pouvoir qui ne dépendait vraiment que de moi.

ELIE WIESEL — Vous êtes-vous préparé à assumer ce pouvoir ?

FRANÇOIS MITTERRAND — Oui. J'ai été élu au bout de trente-cinq ans de vie politique. J'avais fait l'expérience du gouvernement pendant sept ans au cours desquels j'avais appris le maniement des mécanismes et étudié la substance des décisions à prendre. Ensuite, pendant vingt-quatre ans, j'avais été dans l'opposition où, *a contrario*, j'avais pu réfléchir à ce que je ferais si j'accédais au pouvoir, quels hommes je choisirais pour m'aider dans mon action.

ELIE WIESEL — Tant d'années passées dans l'opposition vous ont-elles marqué ?

FRANÇOIS MITTERRAND — On prend goût à l'opposition. J'aurais pu y rester sans en souffrir. Il était tellement peu probable que le cours des choses se renversât que je n'avais pas besoin de me résigner. C'était ainsi. Mais j'aurais aimé être une voix qui se fît entendre indépendamment du succès.

ELIE WIESEL — Vos échecs politiques vous ont-ils déprimé ?

FRANÇOIS MITTERRAND – Non, jamais. Mon camp était défait. Lui redonner force et vigueur jusqu'à la victoire, c'était un pari incertain. Les commentateurs pouvaient bien affirmer que je perdais toujours, cela ne voulait rien dire. Léon Blum a mis quinze ans, de 1921 à 1936, pour faire triompher le Front populaire. Il m'a fallu dix années, de la création du Parti socialiste en 1971 à mon élection en 1981, pour rencontrer le succès. Entre ces deux dates, ça n'a été qu'une suite d'échecs apparents. En réalité, la progression a été constante.

ELIE WIESEL – Lorsque vous avez accédé au pouvoir, la réalité a-t-elle correspondu à ce que vous vous imaginiez du pouvoir ?

FRANÇOIS MITTERRAND – Je l'avais suffisamment approché pour m'en faire une idée assez exacte, mais je ne pensais pas qu'il fût si important. Depuis 1958, en France, le président de la République pouvait, tant qu'il avait le consentement du peuple, agir dans pratiquement tous les domaines. Le seul frein à son action, il ne pouvait le trouver qu'en lui-même. Je l'ai utilisé en limitant volontairement mon propre pouvoir. Cependant, je pense qu'il est tout de même plus sage d'entendre, en plus de son propre jugement, le discours d'une institution.

ELIE WIESEL – Le vrai pouvoir est donc le pouvoir que l'on exerce sur soi-même. N'avez-vous pas eu votre part d'angoisse et d'exaltation ?

FRANÇOIS MITTERRAND – Si l'angoisse prend le dessus, celui qui exerce le pouvoir vit dans l'irrésolution. C'est un sentiment très noble que d'être angoissé par les conséquences des décisions que l'on va prendre, mais cela peut tourner à une contradiction permanente. La conscience du risque est un critère important. J'ai ressenti également de l'exaltation parce que je détenais un pouvoir qui allait me permettre de répondre à mes aspirations : m'attaquer à telle structure, prendre telle orientation qui me semblait garantir la sécurité du pays, le bien des individus, une plus grande justice à l'égard de certains groupes sociaux, etc. Mais on ne peut vivre perpétuellement sur un volcan d'exaltation : un jour, on se rend compte que l'action que l'on mène a des conséquences très heureuses pour le plus grand nombre, et, le lendemain, la vie se charge de vous rappeler qu'une responsabilité n'est pas faite que de cela. Certaines des grandes réformes du gouvernement de Pierre Mauroy m'ont empli de joie, mais je n'ai pas vécu sur cette exaltation : chaque heure de mes journées suffisait à me sortir d'un état romanesque.

ELIE WIESEL – Ce qui reste d'un être humain, ce sont ses actions, ses paroles aussi. Je crois que l'Histoire jugera vos actes, mais vous-même, comment jugez-vous votre action ?

FRANÇOIS MITTERRAND – Étant par nature insatisfait, je pense être resté très en dessous de mes ambitions et, d'une manière générale, je donne raison aux critiques que l'on me fait, même si mes adversaires ont tort de condamner en bloc mon action, et de façon définitive. Mon avis est plus mitigé, bien sûr. Il est injuste, me semble-t-il, de tout dénigrer. J'espère en tout cas que, si l'on s'y intéresse un jour, on pourra trouver dans mes paroles et mes écrits, dans mes actes, de quoi alimenter sa foi dans le destin de l'humanité, dans le destin de la France, dans la construction de l'Europe, et que l'on partagera certains de mes principes idéaux et moraux.

ELIE WIESEL – Qu'est-ce qui vous rend le plus fier ? Est-ce l'action, d'avoir fait vibrer des foules, suscité des enthousiasmes, ou bien le fait de pouvoir dire : « J'ai échoué là, et pourtant je suis resté l'homme que j'étais ? »

FRANÇOIS MITTERRAND – Je suis plus sensible à quelques paroles écrites, à des actes législatifs : la suppression de la peine de mort, le nouveau visage

205

de la France après la décentralisation, la défense dans certaines grandes circonstances des peuples opprimés du tiers-monde ; et puis à des prises de positions décisives pour la construction de l'Europe. Je considère que cela fait partie d'un bilan dont je pourrais être fier si j'avais la propension à être fier.

ELIE WIESEL — Autrement dit, vous œuvrez pour réunir les êtres, pour les rassembler.

FRANÇOIS MITTERRAND — Oui, j'ai cette tentation.

ELIE WIESEL — Pour que l'étranger ne se sente pas un étranger, pour que la personne sans défense soit défendue à l'intérieur d'une communauté.

FRANÇOIS MITTERRAND — Je suis par goût assez internationaliste. Mais si la collectivité nationale à laquelle j'appartiens se trouve en danger, alors je réagis en patriote.

ELIE WIESEL — Avez-vous des regrets ?

FRANÇOIS MITTERRAND — Oui, de ne pas avoir fait tout ce que j'aurais dû faire. Par exemple contre le chômage. Je sais bien que la maladie ne vient pas de la France, mais la France la supporte et j'en souffre. J'ai parfois mésestimé la lourdeur des sociétés, la lenteur de ses rouages, le poids de ses mœurs. On ne change pas la société par une décision législative. Mais beaucoup de choses ont changé en France de façon décisive depuis 1981. Sur le plan de la justice, des juridictions d'exception, du code pénal ; concernant les femmes, leurs droits matrimoniaux, familiaux, financiers, la protection des enfants, la lutte contre la ségrégation... Je me flatte d'y avoir contribué.

# VI

# MOMENTS

ELIE WIESEL — Finalement, la vie est une somme de moments privilégiés. Chacun d'eux évoque tout ce qui a été et génère tout ce qui suivra. J'aimerais que nous parlions de vos moments privilégiés. Quels sont-ils ? La Libération, par exemple...

FRANÇOIS MITTERRAND — Il y a les moments historiques auxquels j'ai été mêlé, même indirectement, et qui ont compté dans ma vie et dans ma réflexion. Ceux-là, pour les dénombrer, il vous suffit de faire le compte de tous les événements importants entre 1936 et aujourd'hui. Vous parlez de la Libération... Oui, c'est l'un des moments privilégiés de ma vie. Mais il y en eut d'autres, pendant la guerre et la résistance, comme le jour de mon évasion réussie. Ce jour-là, j'ai éprouvé un sentiment de respiration intérieure formidable. Ou encore certaines de mes élections politiques. Je pense à la première, en 1946. Ou bien à ma réélection au Sénat, après ma seule défaite, en 1958 :

211

en rentrant de Nevers à Paris, j'étais euphorique. Il y a aussi, bien sûr, mon élection à la présidence de la République, en 1981. J'ai eu dans ma vie privée, des joies de ce genre, des minutes radieuses, des moments sans histoire, sur une terrasse, à Florence, en contemplant un coucher de soleil ; à Venise, en me promenant dans les ruelles ; à Vézelay, à Saint-Benoît ; ce ne sont pas les souvenirs qui manquent ! Un jour, dans les Landes, j'ai éprouvé un sentiment de libération extraordinaire en observant le passage d'un vol d'oies sauvages. Je me souviens de leurs cris, de la beauté de leur vol...

ELIE WIESEL — Essayons de deviner des histoires. Par exemple, le jour de la Libération. Comment était-ce ? Vous vous êtes levé le matin, et...

FRANÇOIS MITTERRAND — La Libération, je l'ai ressentie vraiment lorsque Paris a été libéré. Ce n'était pas la fin de la guerre, puisque des régions entières de la France attendaient encore leur libération, mais moi j'étais à Paris — j'étais membre du secrétariat du gouvernement provisoire, et nous avions connu des jours difficiles...

ELIE WIESEL — Où habitiez-vous ?

FRANÇOIS MITTERRAND — Au croisement du boulevard Saint-Germain et du boulevard Saint-Michel, tout près du lieu où certains des principaux combats se sont déroulés. Je circulais à bicyclette. On croisait les Allemands, des chars passaient, de temps en temps on essuyait des coups de feu. Cela n'empêchait pas les gens de faire leurs courses dans les magasins. Il y avait des files d'attente pour acheter le lait et le pain. Tout à coup, on tirait. Quelques personnes tombaient. Les gens se jetaient à terre un moment, puis la vie continuait. Dans d'autres quartiers de Paris, pas très loin, on ne savait même pas qu'il y avait des combats. Le soir, tandis que nous attendions le général Leclerc à l'Hôtel de Ville (il viendra finalement plus tard), nous avons connu un moment d'enthousiasme formidable. C'était la nuit de la Saint-Louis, l'un des rois de France qui s'identifie le plus à la grandeur de la France. Notre attente avait quelque chose d'émouvant, de symbolique, de mystique. Mais vous avez éprouvé comme moi des joies simples comme de regarder un ciel clair au mois d'août et de contempler une pluie d'étoiles filantes. J'ai eu de nombreuses fois cette expérience dans mon enfance, chez mes grands-parents, avec un sentiment de plénitude extraordinaire. Je n'ai donc pas besoin que l'Histoire s'en mêle.

ELIE WIESEL — Mais, ce jour-là, c'était l'événement, le grand événement. Paris libéré, l'ennemi battu, en fuite, et vous pouviez vous dire que, vous aussi, vous en étiez responsable. Que représentait cette victoire pour vous ? La liberté ? Le retour des choses ?

FRANÇOIS MITTERRAND — Pas le retour, mais un commencement. Peut-être était-ce une illusion.

ELIE WIESEL — Le bonheur ?

FRANÇOIS MITTERRAND — Un bonheur, non pas le bonheur. Ce jour-là, j'avais peut-être mal aux dents, qui sait ?

ELIE WIESEL — Mais vous n'étiez pas seul. Vous étiez avec des amis.

FRANÇOIS MITTERRAND — Il y avait cette foule, le peuple parisien, c'était très émouvant. J'ai ressenti une émotion analogue lors de certains rassemblements ou *meetings* de mes principales campagnes électorales. Il y avait là soixante-dix mille, cent mille personnes qui réagissaient comme dans un concert de musique classique : cette espèce de silence qui précède un mouvement général d'approbation.

ELIE WIESEL — La ferveur collective ne vous effraie-t-elle pas ?

FRANÇOIS MITTERRAND — J'ai conscience de la responsabilité qui m'incombe à ce moment-là. Le soir de ma première élection à la présidence de la République, je me trouvais à Château-Chinon. Nous étions au mois de mai. Une tempête s'était levée. Je me souviens d'être revenu en voiture sous des trombes d'eau. Notre automobile, enveloppée de pluie, frappée par les embruns, peinait à avancer. J'éprouvais la joie de l'accomplissement et de la responsabilité pleine et entière que j'aurais à assumer, mais en même temps cette tempête m'apparaissait comme un symbole de la difficulté de ma tâche. Ce symbole s'est par la suite trouvé vérifié, et il ne pouvait pas en être autrement.

D'autres moments privilégiés ? Une soirée au cours de laquelle, tout à coup, l'amitié est partagée, de sorte que tous les cœurs s'élèvent sans que l'on sache pourquoi... Je me souviens d'un jour, pendant la « drôle de guerre », entre 1939 et 1940. Je me trouvais dans un cantonnement misérable, au milieu d'une troupe de soldats crottés. Des chants se sont élevés, je les ai trouvés beaux, et soudain, je ne sais pour quelle raison, dans cette atmosphère enfumée, j'ai été traversé d'une sorte d'enthousiasme devant la vie alors que s'annonçaient, devant moi, des jours qui n'étaient ni glorieux, ni heureux.

ELIE WIESEL — Était-ce à cause de la mort si proche, cette mort qui rôde toujours en période de guerre ?

FRANÇOIS MITTERRAND – À cette époque, je ne pensais pas que mon tour était venu de mourir. Je ne me posais même pas la question. J'étais jeune...

ELIE WIESEL – Auriez-vous pu vivre une autre vie que celle que vous avez vécue ?

FRANÇOIS MITTERRAND – Je crois que oui. J'aurais pu consacrer ma vie à la réflexion, vivre à la campagne, en compagnie des arbres, des animaux et de quelques êtres aimés. C'est peut-être un rêve bucolique, mais je m'en sentais la capacité. L'aventure de l'esprit, vous savez, est aussi agitée que l'aventure de l'action, et je n'ai pas toujours besoin de changement pour vivre bien. Mais sans doute l'aiguillon de l'action a-t-il été plus fort que celui de la réflexion, puisque finalement je me suis lancé dans la politique.

ELIE WIESEL – Nous sommes au tournant du siècle. Cette Histoire à laquelle vous avez contribué, comment voyez-vous son avenir ?

FRANÇOIS MITTERRAND – Les sciences et les technologies vont se développer, brouillant les cartes, obligeant les hommes à concevoir une société de production différente. Le culturel y prendra une place de plus en plus importante. L'absence de foi provoquera la multiplication des sectes. Beaucoup attendront un thaumaturge comme lors des

216

grandes tragédies du Moyen Âge. Espérons que nous n'assisterons à aucun débordement politique, comme ce fut le cas en Allemagne en 1933.

ELIE WIESEL — Aimeriez-vous être encore sur terre en 2010 pour voir ce qui se passe ? Est-ce votre présent qui vous préoccupe, ou l'avenir immédiat ? Y pensez-vous ?

FRANÇOIS MITTERRAND — Non. De même que Willy Brandt a fait inscrire comme épitaphe sur sa tombe cette très belle devise, je dirai : « J'ai fait ce que j'ai pu. »

# TABLE

OUVRAGES DE FRANÇOIS MITTERRAND

*Aux frontières de l'Union française,* Julliard, 1953.
*Présence française et abandon,* Plon, 1957.
*La Chine au défi,* Julliard, 1961.
*Le Coup d'État permanent,* Plon, 1964.
*Ma part de vérité,* Fayard, 1969.
*Un socialisme du possible,* Éd. du Seuil, 1971.
*La Rose au poing,* Flammarion, 1973.
*La Paille et le Grain,* Flammarion, 1975.
*Politique I,* Fayard, 1977.
*L'Abeille et l'Architecte,* Flammarion, 1978.
*Ici et maintenant,* Fayard, 1980.
*Politique II,* Fayard, 1982.
*Réflexion sur la politique extérieure de la France,* Fayard, 1986.

# Ouvrages d'Elie Wiesel

*La Nuit,* Éd. de Minuit, 1958.
*L'Aube,* Éd. du Seuil, 1960.
*Le Jour,* Éd. du Seuil, 1961.
*La Ville de la chance,* Éd. du Seuil, 1962.
*Les Portes de la forêt,* Éd. du Seuil, 1964.
*Les Juifs du silence,* Éd. du Seuil, 1966.
*Le Mendiant de Jérusalem,* Éd. du Seuil, 1968.
*Zalmen ou la Folie de Dieu,* Éd. du Seuil, 1968.
*Entre deux soleils,* Éd. du Seuil, 1970.
*Célébration hassidique,* Éd. du Seuil, 1972.
*Le Serment de Kolvillag,* Éd. du Seuil, 1973.
*Ani Maamim, un chant perdu et retrouvé,* Random House, 1973.
*Célébration biblique,* Éd. du Seuil, 1975.
*Un Juif aujourd'hui,* Éd. du Seuil, 1977.
*Le Procès de Shamgorod,* Éd. du Seuil, 1979.
*Le Testament d'un poète juif assassiné,* Éd. du Seuil, 1980.
*Contre la mélancolie (Célébration hassidique II),* Éd. du Seuil, 1981.
*Paroles d'étranger,* Éd. du Seuil, 1982.
*Le Cinquième Fils,* Grasset, 1983.
*Signes d'exode,* Grasset, 1985.
*Job ou Dieu dans la tempête,* en collab. avec J. Eisenberg, Fayard-Verdier, 1986.
*Discours d'Oslo,* Grasset, 1987.
*Le Crépuscule au loin,* Grasset, 1987.
*Silences et mémoire d'homme,* Éd. du Seuil, 1989.
*L'Oublié,* Éd. du Seuil, 1989.
*Célébration talmudique,* Éd. du Seuil, 1991.
*Célébrations,* Éd. du Seuil, 1994.
*Tous les fleuves vont à la mer,* Éd. du Seuil, 1994.